忍冬 III

短歌をう[illegible]ながら

上林節江

忍冬 Ⅲ　短歌をうやまいながら

目次

第一章　共に前へ

1 求道僧のように

●繁り葉に憩えば蟬のまつわりて日盛りの道に夏樹あかるし

九月の西多賀短歌会に、私はこの一首を提出しました。
皆さんの歌評は次のようでした。
A、「蟬のまつわりて」が分からない。私は蟬にまつわりつかれた経験がないから、蟬は樹にまつわってると解釈してしまう。蟬が樹にまつわるのは当り前のことで平凡。むしろ、まとわりつく蟬をテーマに一首を作ったらよいのではないか。
B、「繁り葉」と「夏樹」はダブル。どちらか一つでいいのではないか。
C、上林さんの短歌は「蟬」のことを言っているのかなと思うと、結句に「夏樹あかるし」と来て、樹のことを言っている。ねじれる。そういう作り方が多い。いらつく。
D、結句の「夏樹あかるし」は物足りない表現だ。
これらの意見に対して、私は次のように言い、そして思いました。

Aについて

夏のかんかん照りの日、私はたまらずに椽の木蔭に入って一息つきました。すると、たくさんの蝉が私の体にぶつかるようにぶんぶんとまつわりついてきたのです。こんな体験は初めてでした。蝉は私を樹の一部と思って寄ってきたのかなと思いました。見ると、私と同じ木蔭に立っている人にも蝉はまつわりついています。その人は、きゃ！と言っていました。

今年は蝉が多いのかなと思いました。この体験はとても印象深く残りました。ここから私の詩心がふくらんでいったのです。蝉の飛行を追い見上げましたら、椽の葉叢が実に冴え冴えとした緑で豊かに重なり合って美しいのです。

この樹は蝉を寄せ、人間を寄せ、真夏の熱波の中で実に堂々と立っている。なんという存在感か。蝉の命や人間の命を憩わせる樹の大きな生命力に心打たれました。

Bについて

「繁り葉」は常緑樹にもあり冬でも見られます。杉やヒマラヤ杉、松、樫、楠、桧などたくさんあります。

私は常緑樹の存在感の大きさも好きですが、落葉樹のドラマティックな変化に、より多くの感動を覚えます。秋には散るのですが夏は実に青々と繁り豊かです。爆発的な繁りの葉のエネルギーを感じます。そこを出したくて「夏樹」としました。私の意識の中ではダブらないのです。

Cについて

「いらつく」と言った人の表情を思わず見てしまいました。いつもの穏やかなままです。悪意や敵意はなくて率直な意見なのだなと思いました。

「いらつく」とまで言われたことで、後日もう一度この一首を冷静に眺めてみました。

上の句の主体は「作者」で、下の句の主体は「樹」です。焦点が二つですから「ねじれている」という指摘になったのだなと合点しました。下の句を「日の盛りなる樹下に驚く」とすればねじれは解消します。

夏樹の存在感は別の一首にすればいいのかなと思いました。

歌会で「ねじれている。いらつく」まで言われたことは、もう一度推敲する作業を誘いました。それにより、自分の作品の未熟さにまっすぐに目を向けることができました。私は、ありがたいなと思いました。

歌会で、問題点を核心まで指摘することは作者への遠慮があり、実際にはなかなか難しいです。核心までいかない所で終わる歯痒さがあります。

どこまで踏み込めるでしょう。

信頼関係があれば踏み込めるのでしょうか。

言われた側に度量の大きさがあれば、反感でなく再考につながるのでしょうか。

「私は短歌が命というわけではないから、そこまでは言われたくない。」

という人もいるのでしょう。短歌会に対して、求めるものは人それぞれです。

私は勇気がないので悩みます。

実際にこの一首は「ねじれている」のかもしれませんから、今後も推敲していくことにします。

Dについて
結句への私の思いは「夏樹の生命力への讃美」なのです。しかし、「生命力」とあからさまに出してしまうことに対して抵抗感がありました。
「生命力」という語を出さずに生命力感を出したいのです。その方が深いと思いますし、一首の品も保てると思うのです。ですから推敲に苦しみ踠くのです。
「物足りない」という批判は真摯に受け止めます。

他人様の短歌の鑑賞は難しい。自由勝手に鑑賞してそれでおしまいならば大らかですが、歌会では、鑑賞したことを歌評として発言しなければなりません。

思います。

同じ体験がないと分からないと感じ、解釈に迷います。

自分の好みの詠み方でないといらつきます。

これは自然のことです。

しかし、方法はあります。

未体験の事柄は、表現されている語句に忠実に読み進めていけばいいのです。途中で勝手に解釈してしまわずに、とにかく、書かれている語句に従って最後まで読み進むことではないでしょうか。

そして、一首全体から考えること。

自分が体験していないことはたくさんあります。短歌を通して追体験を膨らませることができます。

そして、いつか自分が同じような体験をした時には、あゝ、かつてあの人はこう詠んでいたっけなと思いながら、自分の独自性で詠めばいいのではないでしょうか。


自分の好みの詠みぶりというのはあります。歌人は個性を求めて自己の表現を追求し、模索し、学びながら成長していきます。詠み方は生き物で変容していきます。あの人の短歌はこうだよね！と決めつけずに、努力は称え、良い所は率直に評価し励まし見守り、歌の友として一緒に成長していくこと。これが大切なのではないでしょうか。

私たちは、いろいろな大会に、作った短歌を投稿することがあります。入賞すればうれしいですし、励みにもなります。

しかし、入賞しなかったからと言って自分の短歌は下手な歌、価値のない歌とヤケになる必要はありません。

大会には選者がいます。選者は自分の評価の主観で選ぶこともありましょう。

また、その選者の好みも影響してきます。

また、選者は結社の指導的立場の人が多くて、自分の結社の考え方、作り方をいいと思っています。他者の評価には、いろいろな要素が複雑にからみ合っていることがありますから、一喜一憂する必要はありません。

賞をとりたさに選者の傾向に合わせて歌を作っていると、選者は交代しますから自分を見失ってしまいます。賞は最終目標ではありません。

大事なのは、自分自身の心の声に従って歌を作っていくことではないでしょうか。そうすれば、自分の歌に責任も愛着も生まれ、他人の評価で怯んだりグラついたりしなくなります。

与謝野晶子は「みだれ髪」で、絶賛も大バッシングも受けましたが、責任と覚悟を背負って生涯を生きました。

また、歌人の尾崎左永子氏の言葉を私は心に反芻しています。

「若者には若者の歌が、老年には老年の歌が生まれる。作家は、己を信じて一歩一歩進んでいくより他、上達の道はない。しかも、ゴールがない。謙虚さを持たない者には歌人の資格はない。」

他者の評価には耳を傾け、同感できる点は取り入れながら、自分の心が楽しいと叫ぶことを大切にして作っていきましょう。

高村光太郎も言っています。

「僕の前に道はない、僕の後ろに道はできる」（「道程」）

作家は、自らの歌を求めて求道僧のように歩んでいく。賞は結果として後からついてくる。それでいいではありませんか。

2　明日に向かって

令和五年度（第三十四回）の「宮城県短歌賞・歌人の集い」が、十一月二十六日に東京エレクトロンホール（宮城県民会館）にて開催されました。地中海湾の会はその事務局として佐藤昌さんを中心に、会員十一名の協力のもと大会を進行しました。

この大会に、地中海からは十名の会員が作品を応募しました。そして、二名が入賞しました。入賞した作品は、大会当日に「作品集」としてまとめられて配布されますし、選者から丁寧に歌評をしてもらうことができます。

しかし、入賞しなかった作品に対しては何の扱いもありません。作者としては全力投球で努力したのになぜ選ばれないのか、おかしいんじゃないかと腹が立つものです。体力、気力、時間、応募料もかかっているのです。何か一言コメントがあってもいいのではないかという声がくすぶっていました。

そして、今年、会員から声を掛けられました。

「自分の作品は何が足りないのか、どこが未熟なのか話し合う時間をとってほしい。そうでないと、来年も応募しようという意欲を持てない。」

「分かった。来月十二月の歌会で、取り上げましょう。私からも会員の皆さんにお伝えしたいことがあります。資料を作りますから、皆で話をしましょう。」

と、私は答えました。

十二月十日の湾の会の歌会に、私は次の資料を作り、皆さんに配布しました。以下はその文章です。

※　※　※　※

一、入選から漏れた地中海の会員の八篇を読んでみました

私は選者ではありませんし、大歌人でもありませんが、地中海の作品は愛しく思います。

自分をも含めて次回を目指して頑張ろう、頑張ってほしい、そして、多くの作品が入賞してほしいと思います。その思いを込めて、私が選考会に立ち会って耳にしたことや、私の思ったことを書きます。

当たっているかどうかは、分かりません。参考になるかどうかも分かりません。怒らないで読んでみて下さい。違う！　と思うならば破棄してください。

〈入賞した作品を見ますと、次の点が際立っています〉

。胸をキュンと打つ、あるいは、しみじみとした詩情のある作品がちりばめられている。
。表現に個性があり、それが独り善がりに感じず、工夫したなと思わせる魅力になっている。
。テーマに添った作品群であり、二十首でテーマを具現化している。
。その人ならではの姿や思いが追求されており、独自性がある。しかも二十首が重層的に展開されている。

〈地中海の八篇は〉

どれも、作歌への熱意が伝わってきます。

一首一首はよく推敲されていて、いい作品なのです。キズもあまりありません。ポイントは、二十首詠の連作だということを強く意識することが求められます。時間をおいて心を鎮め、冷静に、謙虚に、入賞作品と自分の作品とを比べてみましょう。

「あした天気になぁーれ」

全ての作品が完成度高く、キズは一つもなく揃っています。問題点は、構成。「過去をくぐり抜けて、今をどう生きているかということがないと平板だ。」と言った選者が過去にいました。その人は、今も選者です。

「昔の生活の報告のような作品があった。」

と、今回の選考会でも出ました。

「老いの自画像」

二十首は、このテーマに添っています。しかし、「老いの…」としたことで現在に限定された二十首になり、平板な印象を受けないでもありません。ここをどう工夫して、重層的に深みや膨らみを出す構成にするかが課題になるような気がします。

「テーマは、大きく」と言われる所以です。

「野辺を彩る」

非常に独特の表現で、これがこの作者の個性だなと分かります。

反面、読みづらく、歌の中心がどれで訴えは何かを掴み取るのに時間がかかるかもしれません。

読みづらかったり、難解だったりすると、読者は疲れて途中で諦めてしまいます。大会用の作品は、読者に伝わるだろうかという視点を持つことが求められます。

「古稀の旅」

題に添う作品が少なくはありませんか。古稀の旅は三首しか見当たらないような気がします。テーマを大きく設定し、生まれてからずうっと、今日の古稀に辿り着くための旅をしてきたのだというテーマにすれば、豊かで読み応えのある二十首になるかもしれません。「古稀への旅」という設定も魅力的だと思いませんか?

「友」

これも、題に添った作品が少ないように感じました。13、14、15番目はいい短歌であり、題に添っています。これを膨らませて揃えたらどうでしょうか。

「夏から秋へ」

題を意識して揃えようとする熱意は伝わります。

夏から秋へという季節は誰もが体験している事柄ですから、自分ならではの世界観をどう掬い、表現するかがポイントになりはしないでしょうか。

「彼岸の入り」

個性の感じられる作品群です。

しかし、一つ一つの作品が題にどう繋がるのかが弱いかもしれません。

彼岸は特別な節（せち）の日ですから、作者独自の出来事を大きくつかんで強く表現することも必要かもしれません。

「かけがえのない日々」

私たちの生活は、毎日が愛しく、かけがえのないものです。

誰もが命を愛しみ、工夫をし、心を尽くし悔いのない日々であれと願って生きています。

ですから、二十首詠には印象深さが必要です。

母の介護の作品もありますから、そこに焦点を当てての二十首なら、人生の哀歓が深くしみじみと立ち上がるかもしれません。

まとめ

何を核にして二十首を構成するかを十分に考えることは、どの人にとっても重要なことと思います。

一年間に作ったお気に入りの短歌を二十首寄せ集めて、ある一首の中の語を題につけるのでは、連作としては力を発揮しません。

テーマを深く掘り下げましょう。

二、表記上、気をつけること

表現は個々人の思いですから、他人にとやかく言われたくはないものです。

地中海は大らかな結社で、あまりアレコレと制限はせずに作品の良い点に目を向け、作者に寄り添った読取りをします。

普段の結社内の歌会は、それでいいのです。

しかし、大会に応募する短歌はそうばかりも言ってはおれません。

結社間には、考え方の違いもあります。選考委員は各結社の代表的歌人であり、四十年、五十年の歌歴があります。自身に絶対の信を持っています。選考委員はどんな視点で選考をしているかについて、知らないよりは知っておいた方がいいかもしれません。現在の選者の考えは、次のようです。

「表現には手をつけないが、表記のキズは直してやる。」

キズとは、何を指すのでしょう。選考会で耳にした事柄を挙げてみます。
①題には、ルビを付けない
作品の中のどれか一つに付ければいい。
②作品にルビや一字空けは目障りで邪魔。読者を信じて任せよ
◆ルビは、作者の都合で付けるものではなく、読者のためのものであるべき。
分かりやすいように参考例を挙げてみます。

●三・一一（このとき）を過ぎねば春と呼べぬ地よ慰霊の鐘を鳴らす母の忌
令和三年　県短歌賞「テロップ」　上林　節江

※短歌は耳で聞く音韻の文学であるから、耳で「このとき」と聞いて、大震災の三月十一日のことだとは伝わらない。
この用法は作者の都合（五音に収めたいため）によるもので無理がある。字余りになってもルビは付けない。短歌は「字」ではなく「音」だ。（この考えは、強く県歌人協会を占めています。）

同じく無理があると指摘された語は、たくさんありました。

地球（ほし）　亡母（はは）　亡父（ちち）　生家（いえ）　実家（いえ）　蒼穹（あおぞら）　時計（とき）　唇（くち）の辺　葬送（おく）りぬ

※では、どんな語ならルビを付けていいのか。

○　慈眼施（じがんせ）　和顔施（わがんせ）　愛語施（あいごせ）はわが人生にどれも不可欠

令和五年　佳作「狗尾草」　山本　秀子

これらは特別な仏教用語であり、一般の者には馴染みが薄い。特殊な読み方なので読者のためにルビを付けるのはよい。

③一字空けの短歌が多い。ほとんど空ける必要のない所で開けている

④誤字、脱字、明らかなミスは指摘して直してやる

慈顔施→慈眼施　　合挙→合掌　　ピザ→ビザ　　じゃあ→旧仮名はぢゃあ

写らぬならむ→写らずならむ　　自ず→旧仮名は自づ

⑤〈〉を作品の中で安易に使わないこと

ほとんどの場合〈〉でくくらなければならないか不明であり、意味がない。自分の考えた文章ではなく他から引用した文章の場合には、それを示すために〈〉でくくるのは、許される。

⑥短歌の中に。や、をやたらに付けないこと

。や、でリズムが止まってしまうことが多い。必要かどうかをよく考えることが大切である。

（一首の中に。や、を付けた短歌は、世に多くあります。釈超空や前田夕暮は多く使いました。自由律短歌では今も多くの作品で。や、を使っています。しかし、宮城県では厳しい目が注がれるようです。）

おもしろい表現の一首がありました。

○ 現世と常世に架かる橋あらば一度ためしにしたみてつたわ

佳作「器の破片」伊藤　善雄

結句の「したみてつたわ」です。原作はこの通りで、これは作者の意図した表現です。キズではないので手はつけずにこのままで作品集に載せました。

この語は下から読むと謎が解けます。「わたつてみたし（渡ってみたし）」です。

選者はどう歌評するのかと私は興味を持ちました。

選者の皆川二郎さんは、次のように話されました。

「これは意識的にした表現。こういう表現は評価が分かれるところだろう。私としては、普通に『渡ってみたし』としていいだろうと思う。」

私はこの歌評を聞いて安堵しました。おもしろい表現ですが日本語は普通は縦書きで、上から下への方向に表します。この表現を、

「おもしろい。いいねえ。」

と選者が歌評したならば、わっと拡散しないとも限りません。短歌が言葉遊びになってしまうことを、私は残念に思う派です。皆川さんは勇気のある歌評をしたなと感じました。

今回の大会作品では、選者がキズと指摘するものが、ほとんどの作品に見られました。一番多かった人のキズは十六ヶ所でした。（過去には、二十ヶ所や二十五ヶ所のあった入賞作品も存在したとか。）キズは作者の了解を得て直されて入賞作品として「作品集」に掲載されました。

なぜキズとして直させるのでしょう。選者の説明は次のものでした。

◆国語のテストではないのだから、キズは直してやればいい。

キズのある作品はダメとはせずに、内容の良いものは入賞とする。

短歌人口を増やすためにも、内容で採ってキズは直してやれば学んでいくだろう。

◆作品集に「原作のまま」だとキズが多く、品質が問われる。

その用法でいいと思ってしまう人が出ては困る。

三、どんな二十首なら入賞するのでしょうか

(一) 題の大切さ

・二十首を網羅するもの。言い換えれば二十首でテーマを具現化する

(2) 一番大切なのは表現力

・言葉を練り詩情豊かな一首に仕上げ、それを揃えること

・独自性を意識する

(3) 構成を考える

・重層的に、メリハリをつけ、ドラマティックに

・時間、季節、時代、年代は自然な流れに配列する

四、私の感想

キズを直すように電話で勧めるのは、つらいことでした。指摘された作者ならば尚更につらく腹立たしい思いをすることでしょう。私は、キズを直させるやり方にずうっと引っかかってきました。

しかし、いろいろな大会に参加して感じたことがあります。
作品のキズばかりを指摘され、発言されますと、空気（雰囲気）が重く、暗くなります。それに時間が取られて表現の良さに眼を向けた発言をする時間的、精神的ゆとりが無くなります。

大切なのは、表現の良さ、優れた点にこそ眼を向け学び合うことではないのかと思うようになりました。

それは、県の短歌界でも言えることかもしれません。

せっかく入賞したのに、大会でキズばかりを大勢の人の前で指摘されては悲しくなります。いたたまれません。

ですから、事務局としてはつらいのですが事前にキズを直しておいて、大会当日は表現の良さ、作品の優れた点に充分な時間を当てた歌評を展開した方が、勉強になりますし、有意義なのかなと思うようになったのです。キズは、各結社の月例の歌会で学んでいけばいいこと。結社内の通常の歌会と大会での歌評は、違っていいのだと思うように私はなりました。

今日のこの資料は、あくまで参考にしてほしいだけであり、強制するものではありません。

大事なのは、学びながら創作への意欲を持ち続けることではないでしょうか。希望を持って努力していきましょう、一緒に。

※　※　※　※

十二月十日の歌会での資料の文面はここまででした。

会員の方々からは、

・いろいろ知らない事が分かった。
・自分の作品の不足の部分が分かるような気がした。指摘してもらって良かった。
・入賞作品と自分の作品とを読み比べてみると、入賞作品は上手だと分かる。
・選考会の様子が分かって興味深かった。

という声が出ました。

五、良い作品に練り上げていくために

誰でも自分の作った短歌には愛着があります。自分は上達したなあ、これでいいなあと思ってしまいがちです。

しかし、優れた短歌はたくさん世にあります。自己満足や過信を避けて、良い作品作りに努力していきましょう。

私は今、次のことを学んでいます。

(1)　言葉を研ぎ、表現力を高める

お手本として、毎年発行される宮城県芸術協会文芸部の文集『宮城県文芸年鑑』を読みます。二〇二三年版で、次の作品に目がとまりました。

○椿一花不意に落ち来て上を向く見上げてをらむ花たりし位置　伊藤　静子（天象）
○森さんに映ろう花かオレンジの雛罌粟描かるるマグカップ供う　伊藤　久子（橄欖）
○ふじりんご一つを剥けばこの赤にあたためられてゐる冬の朝　斉藤　梢（コスモス）
○校庭にさしゐる陽射しをかき混ぜて縄跳びをする冬の子供ら　〃
○ワイパーに払ひきれない雨の中溺れし魚の如くに帰る　白石　則子（波濤）
○黄や赤のもみじの季のはやすぎて風に落ち葉のからから音す　氷室マユミ（群山）
○亡き父の育てし苗を移し植ゑし吾妻石楠花さはに花咲く　皆川　二郎（群山）
（「さは」は「多」で、たくさんの意味。万葉集にあります。）
○海水を飲みに来るとふ青鳩を叩くがごとく波打ち寄する　大和　昭彦（波濤）
○来し方の暮しを語る数々を心に置きて惜しまずに捨つ　宮城　公子（群山）
○雷神の怒りの丈を聞かされてようやく鎮まる夏の夕ぐれ　吉田ノリ子（波濤）

眼にとまったからと言ってすぐに自分にその力がつくという訳ではありませんが、こういう工夫をしているのかと刺激を受けますから、そのことにより自分も安直に妥協しないで言葉を研いでいこうという気になります。

秋葉四郎氏は斎藤茂吉を「言葉のリベラリスト」と本に書いています。

私たちもそうでありたいと思うのです。自由に、そして求道僧のように言葉を追求していきましょう。

(2) 上の句と下の句の構成

私は、上の句はすぐにすらっと出ます。それにどう下の句を続けるのかという点でいつも苦悩します。付き過ぎているとつまらなくなります。飛躍し過ぎると言葉遊びのような感じを受けます。その兼合いが難しくて。

二〇二三年版の『宮城県文芸年鑑』から、なる程と思う短歌を書き写してみます。

○ 雁たちは選んで空から降りてくる気づけぬ岐路のありし人生　菊地かほる（かりん）
○ 白梅の闌けて滅びのけはいするしんと黙せばもちこたえるか　〃
○ 老眼鏡越しに見ており歪むのは世界だろうか心だろうか　〃
○ 重ね着をしても寒いといふ友よ大切な人の逝きしこの冬　白石　則子（波濤）
○ 沈みゆく夕陽のやうに逝きたいなたった一度の本番なれば　〃

○あの森は絶対切らるることのなし山の神様祀られている　堀江　正夫（長風）

○寂しくはないかと問われためらいぬあの幸せを忘れかねいて　山本秀子（歌と観照）

○月山の秋の小さき吐息きく山の木通（あけび）の腹をわるとき　沼沢　修（―）

○忘るると言うことなども天啓とやうやく気付く母を見てゐて　八田一夫（北社歌人）

○人間の持つ欲徐々に捨て去りて身軽になりしというにもあらず　濱田　利昭（―）

○こほろぎも鈴虫も来よ庭隅の草むら一坪刈らずに残す　平抜　敏子（歩道）

一気にクリアすることは出来ません。一歩ずつできる事から修練していけばいいのです。賞をとる、とらないに関わらず、歌作りには努力が必要です。明日に向かって共に学んでいきましょう。

3　歌会に出て来ませんか

『たとえ、真夏の暑さのもとであっても、こうして歩くということは歌をつくる者にとっては、重要なことだよ。楽な思いをしてつくった歌なんかに、大体碌なものはない。いい歌をつくるには、それだけ難儀を しなければならない。歌は、頭で考えた思いつきでは駄目だよ。』

これは、斎藤茂吉が山形県大石田に疎開していた時に、弟子の板垣家子夫に言った言葉だと、北杜夫の本『茂吉晩年』に書かれています。

茂吉は、大石田から尾花沢まで熱い真昼間を歩いて行ったといいます。

そして、同行の板垣さんに尋ねます、

「こうして歩いているうちに、歌の種を見つけたか?」

暑さに閉口して歩くことで精一杯だった板垣さんは答えます。

「歌どこでないっちゃす。汗拭きばっかり忙しくて、おどげたもんでないなやっす。」

茂吉は言ったそうです。

「君は、そうだからいけないんだよ。まだまだだな。」

板垣さんは回想します。

「大石田虹ヶ丘の橋を渡って行く時、ちょうど川上の方に虹が立っていた。先生は橋の上に立ってこの光景を長い間見ていた。」

その虹は、大きく輪をかいて川を越し、部落のあたりに一方の脚がかかっていた。雲の動きがはやくて、そして低かった。虹の半ばから上に断雲が動き、そのために切れ切れになって虹の上の方が見えていたとのこと。

そして生まれたのが、次の短歌。

○ 最上川の上空にして残れるはいまだ美しき虹の断片　　斎藤　茂吉

この一首は、歌集『白き山』の代表歌と言われており、私の好きな短歌でもあります。

「楽な思いをして作った歌に碌なものはない」の茂吉の言葉に私はうなずきます。私も思います。「楽して秀歌は生まれない」と。

悩み、勉強し、自ら探し求めて歩きまわり、体でつかみとり心の反応した表現を私は好みます。

ですから、私は、正統な理由のないのに歌会には出席せず、添削だけをして送り返してくれという態度は好みません。

そういう添削は、そのとき一ときのことで、作者の力には育たないからです。他力で安直に作り直してもらうのではなくて、自分で考えを練り、言葉選びを修練し、自分なりの表現方法を追い求めていく不断の努力によってこそ力はついていくと思うのです。

また、先人の秀歌や歌づくりの工夫を読み、自分に合うと思うことは取り入れながら自ら学ぼうとする意欲をこそ私は大切と考えます。

結社に所属している私たちには、歌会という月例の勉強の場がありますから、多くの人々の歌づくりの工夫を聞き、刺激を吸収しながら自らの実作につなげて実践していく心構えが欲しいと思います。

皆、同じような課題をもっているものです。

・どう表現したらいいか
・どう言葉を選び、構成するか
・歌の題材をどう広げるか
・テーマを言い過ぎていないか、または、言い足りなくはないか
・自分の歌の良さは何か

話し合ってみると、あゝ、皆も自分と同じ模索をしているのだなと分かります。いい刺激を受け、創作意欲も湧きます。歌の友という一体感も生まれます。

ですから、どうか皆さん、歌会に出て来ませんか。

4 令和五年二月の歌会

○ リウマチの手に切りくれし薔薇の花香り立つ夜友を思いぬ　　尾形　悦子

興味深い解釈が飛び出しました。「リウマチの手」は作者の手だという人と、友の手だという人の二つの意見です。それはどこから来たのかというと「に」です。

「に」の用法が話題になりました。この場合の「に」は、口語で表わせば「で」に相当します。しかし、濁音は耳障りです。「にて」とすれば友の手だと明確に分かりますが、一字余

りとなりますし、説明的にもなります。それで作者は「に」と表したのです。この場合、友の手であることは明確です。

作者の手と解釈した人々は、「に」の使い方に理解が慣れていないことに起因するのではないかと思いました。たくさん作品を読んで馴れることです。私は理由を述べてから、

「原作のままで良いんじゃない。」

と言い、落着しました。

私は、最初、この歌は挽歌かなとも感じました。末尾が「ぬ」と完了になっているからです。挽歌ならば挽歌と分かる工夫が必要です。例えば、、「切りくれきな」とか、「香り偲ばれ」とか。しかし、友は生きているとのこと。そうであるならば、このままでも通ります。強いて言うならば、末尾を現在形にすればなおいいかなと思いました。

○ 行く末の哀れをしらでか乱菊の見事なまでに踊るそのさま　　佐藤　光正

「乱菊」は、菊の種類です。花片が長くて折り重なるように混じわりあって咲きます。その様子を作者は「踊る」と表現しました。ぴったしの表現だと思いました。

この歌のテーマは物の哀れであり、生あるものは衰えるという無常観です。新古今のような美しい歌だと、お褒めの歌評が続きました。

○年明けの降りしきる雪に浮かびたり『かさこじぞう』の温とき世界　安部　律

『かさこじぞう』の民話は誰でもよく知っているので、一首の理解に混乱は出ませんでした。

私は、初句の「年明けの」が、あまり重要ではないなと思いました。

上の句の「降りしきる雪」で寒さを表現し、下の句の「温とき世界」と対比させています。ならば、もっと寒さを強調すれば温とさも際立つのではないかと思いました。私に歌評が指名されたなら、次のように言ったと思います。

「初句をはずして、降りしきるからスタートし、『降りしきる雪と寒波に』としてはどうか。」

しかし、次の意見が出たので、そうかと思いました。

「かさこじぞうのお話は、大晦日の夜のことから始まり、貧乏な老夫婦もよいお正月を迎えられたという粗筋なので、作者はそれを意識して初句を年明けのとしたように思われる。」

それもあるのかもしれないと思い、私は次のように言うのにとどめました。

「この歌の成功した所は、数ある日本の民話の中から誰もが知っているかさこじぞうを取りあげて一首に仕立てた点です。あまり知られていない民話であったら粗筋を説明しないと理解してもらえない。

人の心の優しさや温かさがテーマであり、読者にほのぼのとしたものを感じさせ、いいですね。」

○ どっぷりと『塾歴社会』に浸りたる娘は男孫の中学受験(じゅけん)に生きる　紺野　紘史

「塾歴社会」の語が話題になりました。作者の造語か？　あまり耳にしない、初めて聞いた、学歴社会はよく耳にするけど、などなど。

作者が言うには、

「文芸春秋の本に、この語のある記事を見つけたもので、私の造語ではありません。」

とのこと。

現代の世相は、「塾歴社会」が一般化して一人歩きする所まで競争が過熱しているのかと、皆驚きました。

私は指名を受け、次のように言いました。

「言葉選びに工夫がみられます。「どっぷり」「浸りたる」「生きる」、どれも強い言葉です。娘さんと孫さんの一生懸命さがびしびしと伝わってきて、大変な時代だなと思いました。現代の世相を詠って、問題提起を社会に投げかけているような気がしました。」

三句目を「浸れるか」としたらどうかという意見が出ました。

しかし、作者は、

「それでは弱くなる。娘と孫をそこまでやるのか、やらなければついていけない社会なのかという強い思いで眺めたので、「か」と投げかけるような表現にはしたくない。」

とのこと。そうだと思い、原作のままがいいと思いました。

また、次の意見も出ました。

「娘は孫のでいいのか。娘は男の子のではないのか。」

作者は、次のように言いました。

「自分から見た立場で孫とした。」

私は、「娘は」がこの一首の主語なので「男の子」だなと思いました。

○ 自動歩道は雪ふるごとくデパ地下へ明かき奈落にいらっしゃいまし　根岸　亮

この歌には、分からない、分からないという声が多く寄せられました。
・「雪ふるごとく」の比喩は何を言いたいのか。
・「奈落」の語と、「いらっしゃいませ」が嚙み合わない。
・語の関係性がごちゃごちゃでボタンの掛け違いのようないらだちを感じる。ブラックユーモアのようだ。
・言葉遊びのようで共感をさそわない。
厳しい歌評が続出しました。褒め言葉は一つも出ないのです。

私は挙手しました。

「これは、非常に推敲して、言葉を練って関連づけて構成していると感じました。自動歩道は、この場合は、エスカレーター、すなわち自動階段のことでしょう。人々がエスカレーターに乗って次々と地下へ消えていく様子を、降りくる雪が次々に地面に溶けて消える様子と重ね合わせて、この比喩になったのではないでしょうか。

下の句は、「奈落」といって、その反対の明るい「いらっしゃいまし」とで整合性がないと感じている人が多いようですが、これは作者一流の遊び心ではないかと思う。ユニークに言葉を使い自由自在に表現を楽しんでいるよう。作者好みの短歌の個性だと思います。」

これを聞いて、

「そうか、解釈されると分かります。」

という意見と、

という根強い意見と。

「奈落は不適切。」

私は又、言いました。

「この「奈落」がユニークさをかもし出しているんじゃない？　これを「空間」とか「部屋」とかにしたら、普通になってユニークさが出ない。「奈落」はおもしろいな。」

私は、肯定的にこの一首を読み味わい、作者と共に遊び心を共有し楽しみたいな、そんな短歌があってもいいんじゃないの、そのように言いたかったのです。

私は、どんな短歌も否定しません。自分好みの歌風でなくとも、良い点はあるのですから。

良い点を明らかにし、いいんだよ、それも短歌だよと作者に寄り添いたかったのです。

作者は、

「上林さんの解釈は八〇パーセント合っている。」

と、大喜びでした。部屋の空気が和みました。私は、ホッとしました。

○ 藪椿のこの紅にして相応う葉よリーゼント風なりし友に会いたい　　和田　健二

椿の葉の厚く光沢のある様子から、リーゼント風の髪形を連想して一首にしたてて、おもしろさがあるという意見が多く出ました。

「リーゼント風」とは、ポマードをべったりつけて頭皮に貼りつけるように撫でつけた男の髪形です。「リーゼント風」に好意的な意見が出ました。

私も次のように言いました。

「リーゼント風などと、短歌にしにくい語を使って、特徴的な一首にしたてた所がおもしろいと思いました。「相応う（ふさう）」は、相応しいの意味だが、短歌ではあまり目にしない語。こんな点にも、作者の言葉への工夫があるように思う。」

質問が出ました。

「「相応う」は「相応しい」の文語ですか?」

私は言いました。

「「相応しい」は口語で、文語は「相応し」です。形容詞の語です。「相応う」は「相応ふ」と辞書にあり、意味は同じですが、動詞です。」

二、三人が辞書を調べました。

「本当だ。「相応ふ」だ。」

十首で二時間の歌評が終わりました。

短歌の欠点は目につきやすく、多くの意見が出ます。

褒め言葉の方が難しい。

それでも、湾の会は良い点を見い出し共有するようにと佐久間晟師に指導されてきましたから、褒めるほうだと思います。

褒められて気を悪くする人がいるでしょうか。褒められ共感されていい気分で帰宅し、また歌作りに励んでほしいと思うのです。歌会は育てる場所であって、つるしあげの場ではないのです。

5　私の挑戦

令和五年の夏の猛暑は、長く長く続きました。

仙台でも、七月下旬から気温三十四度や三十五度の猛烈に暑い日が始まり、八月が過ぎ、九月に入っても気温は高いままに推移しました。

私は、気温が二十六度を上回りますと部屋の中にいても熱中症気味になります。首から上が熱り、頭痛、めまいが始まります。外出は、一週間に一度で食料品の買い出しのみという週が続きました。買い出しは土曜日です。土曜日のみ二千円以上の買い物をし配達料二百円を払えば、配達をしてくれるスーパーがあるのです。

「今年は、北海道の紅葉が例年よりも遅い。」

というニュースを幾度も耳にしました。

ベランダから眺める蔵王山も青黒いままです。

十月になりました。

ガクンと気温が下がりました。二十五度ほどになり暮らしやすくなったのです。やっとクーラーから解放された、外出できると喜びました。

雨天だと最高気温は二十一度、最低気温は十三度となり、涼しいを通り越して肌寒いと思うようになりました。

日中は温かく朝夕夜は寒くて、衣服の調整に気をつけなければ風邪をひきます。急激な変化に体が戸惑いました。

十月九日のニュースで、

「栗駒山の紅葉が始まりました。」

と、テレビの画面に黄葉の山肌が映し出されました。

私は、

「おっ！」

と、声を発して、映像に見入りました。

山肌が、生まれたての黄色に色づいています。私は、わくわくしました。なんてやさしい黄葉でしょう。まるで、みどり児のような初々しい光に染まっています。

何とか一首に詠みたいと思いました。

「もみたふ」という語があります。これは「紅葉つ」「黄葉つ」の未然形「もみた」+接尾語「ふ」のついた語で意味は「草木の葉が色づいている」です。

「黄葉たふ」にするか、「黄葉づる光」にするかと迷いました。

迷った末、次のように詠みました。

● 青きまま長く続きし山肌にういういしさよ黄葉づるひかり　　令和五年

栗駒山は、ハンの木やミズナラ、ブナの木が多くて、紅葉というよりは黄葉なので、「黄葉づる」としました。

今年の紅葉狩りは、栗駒山に行こうと決めました。

十月の末に、栗駒山に行きました。

少しの風に、ミズナラの森はバラバラと葉を散らして圧巻でした。木に意思があってバラバラと葉を振り落としているように感じたのです。私は、木は生命体で、このようにして冬を乗り切るのだなと思わずにはいられませんでした。

その感慨に従い、次のように詠みました。

● 冬せまるミズナラの森一枚も残さぬごとく木の葉散(はら)らく　令和五年

この短歌を十二月の湾の会の歌会に提出しました。

皆さんは「はららく」という語に驚いた様子でした。ささっと、それぞれが電子辞書で調べ始めました。

質問がきました。

「どうやってこの語を見つけたの。」

私は答えました。

「ただ「散る」では物足りなくて、ばらばら、ぼろぼろに吹雪のように散るという意味の語はないかと電子辞書で調べました。そして、「はららく」を見つけて、これだと思ったのです。」

その時の様子は、次のようでした。

私は、イメージにぴったり当てはまる語はないかと、電子辞書をめくり続けました。私はイメージの流れに従って次々と語を呼び出したのです。

ばらばら→ばらげ（散毛）→散（ばら）ける→まき散らす→散（ちらば）す→散らばる→散らまく→散り交ふ→散り乱れる→散り散りばらばら→散蒔（ちらま）く→はらめく→散（はらら）かす→散（はらら）く

「散く」に目が止まりました。意味を調べました。「ばらばらになる。ぼろぼろとくずれ散る（自動詞、四段活用）」とありました。これは使えるんじゃないかと思ったのです。

意見が出ました。

「はららくは、ぼろぼろと崩れるの意味だから、使い方が合わないんじゃないか。」

私は、言いました。

「辞書には、ぼろぼろとくずれ散るとありました。散るんだからいいんじゃないかと考えたのです。私の挑戦です。」

後日に私は、「はららく」の語を使った短歌がないかと調べました。

北原白秋の短歌に見つけました。

○ 紅葉（もみじば）を月の光にながめゐてはららきしからに我はおどろく　北原　白秋

この短歌を見つけて「はららく」の使い方は合っているなと思いました。

また、私は昨年に紫陽花を詠んだ時に、

（●それぞれに花しずかなる紫陽花の一万株の声におどろく）

北原白秋の短歌にも「おどろく」はあると聞きましたが、これかと思って嬉しくなりました。

また、次の短歌を「短歌用語辞典」に見つけました。

○春浅夜しぐれはららぎすぎしかば駒形橋をひとりわたりそむ　坪野　哲久
○喉穿りて横たはる夜の素硝子の窓にはららく霰ひとしきり　明石　海人

「はららく」は、木の葉だけでなく「時雨」にも「霰」にも使えるのかと思いました。

私の知らない語句はたくさんあると信じて、いろいろな辞書や辞典で探します。


アパートの近くの公園に、メタセコイヤの木がかたまって六本植えられています。私の好きなスポットです。

立冬が過ぎました。次第に、メタセコイヤの葉が散り始め、枝には隙間が生まれ、夕陽が隙間から黄金色に透けてメタセコイヤの木を染めています。

この景色も詠んでおきたい場面だなと思いました。メタセコイヤの木立ちは私のベランダからもよく見えます。

メタセコイヤに空いた枝が広がり残っている葉が金色の光に染まっています。私は、何日もその光景を見つめました。今年は猛暑が長く続き、秋はあっという間に過ぎ去ろうとしています。これも今年の季節の特徴だなと感じました。短い秋を惜しむようにメタセコイヤの空いた葉の間から夕陽が輝くのです。私は次のように詠みました。

●冬立ちぬメタセコイヤの空ける葉に秋の名残りのような落日　令和五年

この短歌を、十二月の西多賀短歌会に提出しました。

・「情景が絵になって浮かぶ。色彩が美しい。」
・「「落日」という語に、秋が終わってほしくないという作者の強い意志を感じる。」

と、肯定的な歌評が続きました。

「落日という語は、私のこだわった語です。夕映えとか夕焼けでは美しくなり過ぎて違うなと。私の心には、激しい思いがあって、ここは落日というインパクトの強い語でなければならないと思ったのです。」

私は短歌を作る時、自分の思いにぴったりする語や語句がないかと探します。ですから、何日もかかります。辞書や辞典と格闘し、自分の心と格闘します。

「使い方が合っていないいんじゃないか。」

と言われようと、とにかく作ってみることにしています。茂吉のように「言葉のリベラリスト（自由主義者）」を胸に、挑戦する意欲を持ち続けたいと思うのです。

多く使われていて安全で無難な語ばかりでは類型の域を出ませんもの。

6　リアルだけれど、ちょっと……

二〇二三年十月十七日、十八日に、四年ぶりに地中海全国大会が開催されました。

会場は静岡県浜松市。仙台から行く人は、東京駅で東北新幹線から東海道新幹線に乗り換えが必要です。

それが面倒だという人がいます。参加費が二五〇〇〇円で交通費が四万円、その費用がチョットという人もいます。私もその二点はウーンと思いましたが、しかし、年齢的にも体力的にも気力的にも後がないなと思い参加することにしました。

参加者は、事前に未発表の短歌一首を提出します。

私は、次の短歌を出しました。

● 悶えても返らぬ若さ嗄れし声を張りあげ万葉集読む

この一首は、三句目と四句目に二通りの表現を考え、どちらにしようかと迷いました。迷った短歌は次のようでした。

●悶えても返らぬ若さ受け容れてうけいれて万葉集読む

本当は、こちらの「受け容れてうけいれて」とリフレインの表現が好きなのですが、この表現をすでに使った短歌を二〇二三年の宮城県芸術協会文芸誌「文芸年鑑」に提出していたので未発表ではないナと思ったのです。

その短歌は次のような作品でした。

●気がつけばだあれも居ない八十歳受け容れてうけいれて万葉集読む

そのために、三句と四句の表現を変えたのです。

しかし、これは失敗だったなと思いました。

「嗄がれ声」は、現実の私の実態そのものです。息切れも多くなり、一息で読み通せなくなりました。何度も息継ぎをしながら、しかし、気持ちは高らかにという気概は失うまいと声を張り上げて読んでいます。これも現実の私の実態です。実際の実態そのものですからリアリティはありますが、しかし、美しくはないなと感じます。

では、なぜ「嗄れし声」としたかといいますと、そんな現実も受け容れていくしかないなと思ったのです。帰らぬ若さの一つの象徴として使いました。具体を入れないと一首が概念的になります。それを避けたいと思いました。

私の短歌の師、塔原武夫先生は、

「美しく言葉を選べ。」

と指導しました。

なぜ、美しく言葉を選ぶことが大切かといいますと、私なりの解釈ですが、歌の品格にかかわるからではないでしょうか。

品格から言えば、「嗄れし声を張りあげ」には、老醜が滲みます。私の現実の実態は老醜そのものですが、歌は品格のある表現に練ることが大切です。老醜を〝いいな〟と共感する人がいるでしょうか。

それで失敗したなと思ったのです。短歌は難しいなと思う点はここにあります。では、どう詠めば老醜は避けられるでしょうか。「震えくる声」「息切れの声」でも「嗄れし声」ほどのインパクトはないのです。


ある短歌を思い出しました。

○ 火事消して帰り来たりし消防車疲れしもののごとく汚れて　浜田　康敬

（『短歌の技法　イメージ・比喩』嶋岡　晨 著　飯塚書店）

この作品を、本では次のように解説していました。

『消火のために疲れはてたように、汚れて帰ってきた消防車——その「疲れしもののごとく」という感じとり方に、いたって自然なリアリティーがある。それを、たとえば「疲れしけもの」のような隠喩にしてしまうと、重苦しくなり過ぎて、実感から離れるのではないか。』

この文章を読み、なるほどと思いました。

表現は「重苦しくなること」「激しくなり過ぎて気持ちが吹っ飛んでしまうこと」「生々しすぎること」は避けた方がいいなと思ったのです。そうでないと、詠み手はエイ、ヤッ！と斬りつけて自分はすっきりしても、読み手は嫌悪感を感じて気持ちが退いてしまうのではないでしょうか。

「表現は美しく言葉を選んで品格のある短歌を」、これを忘れてはいけないなと、あらためて思ったのです。

全国大会の歌会では、次のような意見をいただきました。

次の二点の指摘がありました。

「嗄れし」のしは不適切。過去に嗄れたのではなく、今嗄れているので「嗄れたる」と現在形にすべき。」

それを聞き、そうかと思いました。私の意識としては、気がついたらいつの間にか嗄れ声になってしまっていたよという感慨でしたのでしとしましたが、関根和美さんの指摘には、なる程と思いました。

話し言葉では「た」だからと、「し」にしてしまうことが多いのです。そういう短歌が私を含めて多くあります。安易に「し」を使ってはいけないなと学んだのです。

もう一点は、結句の表現です。

三浦好博さんから指摘がありました。

「万葉集読むでは八音。人麻呂を読む、とか家持を読むとすれば七音におさまる。」

確かにそうです。私はまだ万葉集の勉強を始めたばかりで、特定の歌人に心を動かされていないのです。

新古今集ならば、自信をもって式子内親王が好きとか、西行、定家が好きと言えるのですが、万葉歌人は、いまだ……。勉強して一年くらい経ったなら、誰々を読むと言明できるかもしれません。時間が必要です。

表現は事実の通りではなくていいと言われています。私もそう思います。七音にこだわるならば「赤人を読む」にして、万葉歌人のよく知られている歌人の名を出せば万葉集と分かりましょう。それが出来なかったのは、よく知りもしないうちから一人にしばるのは万葉集に対して不敬になるような気がし、また、自分の心に正直ではないようにも思えて、踏み込めませんでした。

私の未熟さ不器用さであり、自信のなさと言えるかもしれません。

表現は、もどかしくても自分の心に正直に歩んでいくしかないと思ってしまう私がいます。

しかし、これは弁解かもしれません。

班別歌会には十名がおり、十首の短歌の合評が行われました。特徴的に感じたのは、文法的な指摘の多かったことです。

文法に強い人がグループにいることはありがたいです。キズのない一首に仕上がりますから。

それと同時に、表現の良い所も取りあげる合評だと視野が広がり、表現の幅がふくらみます。さらに、心が和み作歌意欲につながります。

仙台に帰ったら、湾の会の歌会でこの二つのことを大切に歌会をしていこうと思いました。

7　荒砥沢とは

岩手・宮城内陸地震の発生は、二〇〇八年（平成二十年）六月十四日の午前八時四十三分でした。

その時私は、自宅で朝食を終えお茶を飲んでいました。

突然にテレビから地震警報が鳴り響きました。それから毎日、テレビの映像に息を呑みました。栗駒山に壊滅的な地滑りが起きたのです。

震源地は、岩手県一関市側の祭畤橋付近でした。祭畤橋はボキボキと折れて谷底へなだれ落ちました。（震災遺構として当時のままに保存されています。）

宮城県側の駒の湯温泉という昔からの温泉宿は土石流に呑み込まれました。ふもとの行者滝も土石流で埋まり、滝の姿は消えました。

大小合わせて三千五百ヶ所で地滑りが起こり、その中で特に大規模だったのが荒砥沢（あらとざわ）です。斜面長千三百メートル、地滑り頭部の滑落は百五十メートル、地滑りの移動は約三百メートル、最大で八十メートルの隆起が起き、日本一の大規模となったのが荒砥沢です。ここを通っていた市道荒砥沢線は寸断され、白いガードレールが折れて垂直に垂れ下がりました。今も当時のままに白いガードレールが見えます。地震の規模はマグニチュード七・二。最大震度六強。阪神・淡路大震災のM七・三に次ぐ大規模な揺れで、震源の深さは八キロメートルと、極めて浅い表層部で起きた内陸の直下型地震でした。

災害の様子は、その規模の大きさが日々つまびらかに放映されました。私は、ああふるさとの山が壊れてしまうと胸をえぐられるようでした。

荒砥沢地区は立ち入り禁止となりました。私は、弟たちと近づける場所まで近づき眺めましたが、鳥も飛ばず、山肌はぐじゃぐじゃに崩れ、えぐられ、緑の山に悪魔が口を開けているような様子に背筋が寒くなりました。生き物の声や動きや生命感が消えてしまっていました。風さえも鳴りをひそめているのです。異様な静寂に満ちた異界と感じました。

旧町名岩ケ崎に二〇一二年（平成二十四年）に「栗駒山麓ジオパークビジターセンター」

が開設されました。テーマは「自然災害との共生と豊饒の大地の物語」です。

今回の地震をきっかけに、自然と共生するための大地の成り立ちに目を向け、そこに習い、教育、減災、持続可能な経済活動に上手に活用し、将来にわたり地球の恩恵を受けながら豊かに暮らす未来を考えることを掲げています。

二〇一五年九月に日本ジオパークに認定されました。ここでは、ガイドさんが丁寧に案内してくれます。（ガイド料は一時間二千円。）

このビジターセンターの裏山は判官森といい、源義経の胴を埋葬したと伝わる胴塚があります。弟たちと、そこも訪れました。

二〇二三年（令和五年）六月まで、荒砥沢は人の近寄ることのできない地として長い長い歳月を畳みました。（二〇一一年には、東日本大震災がありました。）

二〇二三年六月の新聞に「ガイド付きであれば、荒砥沢の現場に立入りが可能」という記事が載りました。私は早速、弟たちとガイドを申し込みました。しかし、六月は梅雨で朝から雨。ビジターセンター内でのガイドでした。

十五年という歳月は、荒砥沢をどう変えたのでしょう。現在の荒砥沢をモニターで見ることができます。ずいぶんと木が生えています。

ガイドさんは言います。

「一番最初に生えてくるのは、榛の木です。」

二度ガイドを申し込みました。二度目は晴天でした。入口で爆竹と笛を吹き鳴らし熊避けを施してから山に入ります。荒砥沢を見下ろす高台から眺めました。まだ、高台からしか眺めることができないのです。十五年を経ても谷底は手つかずの状態なのです。谷底一帯に緑の木が生えていて、十五年前の様相とはだいぶ違います。

山は生きている。生きて自ら再生し変化していると思いました。

私は次のように短歌に詠みました。

●許されて十五年目の荒砥沢に生える若木のうぶ声をきく　令和五年

この短歌を西多賀短歌会に提出しました。

皆さんの反応は、次のようでした。
・「荒砥沢」って何？　どこ？　何があるの？
・「十五年目」とあるから東日本大震災の三年前だよね。何があったかなあ。
・「許されて」とは、何を許されるの？　土地が許されてなの？　作者に何か特殊事情があって今まで許されないできて、やっと封印が解けたってこと？
・下の句は上林さんらしい表現でいいと思うけど、上の句が分からない。
東日本大震災の三年前に「岩手・宮城内陸地震」があったことは、皆さん知っています。

栗駒山に未曾有の大地滑りが発生したことも、皆さん知っています。しかし、その大地滑りの地が荒砥沢地区だということまでは記憶していないのです。ですから、背景となっている事柄と地名とが結びつかず、この短歌の意味を掴み取れないのです。

無理もないと思いました。栗駒山は私の故郷なので、私は荒砥沢を知っています。しかし、一般の人には知名度が低いのです。

私は、説明しました。説明を聞いた皆さんはそうかと頷きました。

このままでは、この短歌は伝わらないなと思いました。

どんな言葉を使い、どう詠めば、説明せずとも分かってもらえるのでしょう。どんなキーワードとなる語句を入れればいいでしょう。

もしかしたら「大地滑り」という語が必要かもしれません。この語があれば分かる？

入れてみました。

●大地滑りの荒砥沢に十五年目生える若木のうぶ声をきく

なんだか説明的で他人事です。私としては「十五年目になってやっと立入が許された」という思いはどうしても入れたいのです。

●十五年目たち入り許され荒砥沢に生える榛の木のうぶ声をきく

内容が多すぎてなんだか疲れます。

まだ未完成だなと思います。

多くの人々がたくさんの短歌に荒砥沢という地名を入れて詠んだならば、知名度は上がるでしょう。

東日本大震災の時、「閖上」という地名は、テレビが何度も取り上げ惨状を伝え、人々が文章に書き、詩や短歌や俳句に取り上げました。それにより、一気に「閖上」は知名度を上げました。それがなかったら「ゆりあげ」と読むことさえ知られない小さな漁港の町だったと思うのです。

私は、これからも荒砥沢に眼を注ぎ、心を寄せてエッセイや短歌に書き続けたいと思います。

自然は生き物です。一年一年変化します。やがて、地滑りの傷跡も姿を消すのでしょうか。そして、そんな大地滑りがあったことも歴史の中の出来事として埋もれていくのでしょうか。岩手・宮城内陸地震では、死者十三人。行方不明者十名。負傷者四百四十九人でした。今現在も見つからない人がいるのです。

慰霊の行事が今も実施され、それはニュースとなって放送されます。私は、栗駒山の温泉施設ハイルザームで、遺族中心の慰霊の追悼式を目撃しました。私は遺族ではないので、式に列席は許されませんでしたが、手を合わせて祈りました。

十五年の歳月で何がどう進歩したのでしょうか。

一、捜索活動に最先端技術が開発されました。
当時は、ヘルメットの上にお皿のようなアンテナが付いているＲＴＫ－ＧＰＳでした。

今は、ＧＰＳを含むＧＮＳＳ技術へと発達し、ＧＰＳ連動の金属探知機を用いて電波を応用しての捜索活動になりました。

二、地滑り地帯のモニタリングが可能になりました。
それを可能にしたのは、地表設置型合成開口レーダー（ＧＢ－ＳＡＲ（ジービーサー））の開発です。

これにより地表面の変化を把握し、何が起きているのか、何が起きそうかという予測に役立つそうです。

三、土砂災害は突然に発生し予測しにくいそうです。
しかし、土砂災害の種類（「崖崩れ」「土石流」「地滑り」）を知り、避難する方法を学ぶことができるとか。

四、災害のリスクを知り、危機意識を高め、防災・避難への対応力を高めることを自治体は推進しています。

地球はマグマの星です。栗駒山は五十万年前に誕生したとか。人間個人の寿命は百年足らずだと思う時、自分はある時期を許されて地球という宇宙船に住まわせていただいているという思いが湧いてきて畏敬の念が生まれます。

人間だけではありません。植物も昆虫も獣たちもそうなのです。

その思いが「許されて」の表現です。

許されて生えてくる若木であり、許されてその息吹を聞く私なのです。

また、次のようにも思うのです。私たちは悠久の歴史の中で大地が激しく変貌する瞬間に立ち会ったのだと。その時、人々は何を見つめ、何を考え、どう工夫し、絶望せずに未来を創ろうと思ったのかを知りたいと思います。

そして、私も何を見、何を思ったのかを文章や短歌でもって記録したいと思いました。

そして、次のように詠んだのです。

●地滑りの傷を修復するように若木の鼓動を山は抱きいる

●やがてには大きく姿を変えし山を美(は)しと仰ぐのだろうか人は

私は一年に何度も栗駒山に行きます。帰りには金成の生家に寄り仏間に風を入れ、墓に詣でます。

四季それぞれに美しい姿を見せる栗駒山が心を離れることはありません。

8　心を一つに

令和五年の五月から、コロナウイルス感染症は「五類」となりインフルエンザと同じ扱いになりました。ワクチン接種が国民に浸透し、集団免疫が高まったのかもしれません。コロナに罹患しても即入院とはならず、一定の隔離期間を対症療法の服薬で自宅にて過ごすようになりました。

湾の会会員は高齢者が多いので歌会ではしっかりとマスクをし、部屋の換気に配慮しています。気持ちの上ではホッとしたものを感じるようになりました。それに伴い、安部律さんの出版祝賀会を開催しようという気運が高まりました。コロナにより三年間を開催できずに来たのです。

湾の会では、会員の第一歌集出版時には祝賀会を開くのが慣わしとなっています。

令和五年五月二十八日、ホテル白萩「高砂の間」において、会員十七名の出席により祝賀会が開かれました。

その様子は、「地中海」二〇二三年九月号に詳しくお知らせしましたが、内容を少し紹介します。

第一部は、花束と記念品の贈呈、祝辞、乾杯と会食。そして、参加者一人一人がステージで三首選の歌評をしました。

第二部は、アトラクションです。佐々木美枝子さん（会員）のお箏の演奏が美しく会場に響き渡りました。

それから、全員がステージに集まり、熊谷とも子さん（会員）のキーボード伴奏に合わせ、「野に咲く花のように」「幸せなら手をたたこう」など、たくさんの曲を合唱しました。実に晴れ晴れとした和やかな会で、皆で言い交わしたものでした。

「こういう心が一つになる会が大事よね。」

その集合写真は、佐久間晟、すゑ子両先生にもお届けし、報告をしました。先生は喜んで下さいました。


会の年度は、四月から三月までの十二カ月を一サイクルとしています。これは、地中海本社に合わせています。

令和五年度には、もう一つ大事なイベントがありました。毎年一月に開催してきた「新年歌会」です。コロナ禍の三年間は、通常の歌会の中でひっそりとこじんまりと触れてきました。この件につきましても、コロナ以前の姿に戻そうという話し合いがなされました。

令和六年一月十四日、海鮮厨房「かに政宗」にて、新年歌会が開催されました。参加者は十七名。会員十五名と、非会員でぜひ参加したいという二名とが出席したのです。この二名は湾の会会員ではありませんが、下部組織のブナ短歌会の会員で短歌には熱心な人です。

新年歌会は午前十一時に始まりました。

最初に、能登半島地震の被災者に黙祷を捧げました。会長挨拶として、私は次のように話しました。

「皆さん、明けましておめでとうございます。心は元気ですね。体はね、年令と共に思うようにならなくなるものです。しかし、心は自由自在に弾ませて暮らしましょう。

よくアスリートが口にする言葉があります。『自分の中にスイッチが入った。だから頑張った。』短歌にも心のスイッチがあります。福岡に住む地中海の歌友から、二ヶ月の入院中に百首の短歌を作ったとメールが来ました。入院していても短歌のスイッチは入れたままにしていたんだなと思いました。ボーッとしていては、スイッチは眠っています。いつもと違うものを見つけ、オッと心を集中させ観察しましょう。それがスイッチです。胸にスイッチを抱き、心の声に耳を澄ましましょう。浮かんだ断片はすぐにメモしましょう。そして、短歌という美しい花を、今年も一緒に咲かせていきましょう。

今日のこの会には湾の会に籍を置いていない人も参加していると聞きました。来て下さってありがとう。地中海は大らかな結社です。どんな短歌も否定しません。どうか、これからも湾の会に遊びに来て下さいね。皆さん、今日は新年歌会です。おいしいカニを食べ、話し、笑って若返りましょう。」

それから、参加者の短歌十八首の詠草表が配布されました。題詠で、お題は「和」です。作者名は記載されてありません。一人三首を選び、記名して提出しました。（一人は欠席）

地中海湾の会「新年会」（令和六年一月十四日）の結果

題「和」

〈三位〉

五点　1　この先に吾に降る雪どんな色残されし日の和やかにあれ　尾形　悦子

四点　2　ミスショットを和ますつもりか赤トンボ腕に止まりて目玉クリクリ　紺野　紘史

五点　3　この花に逢うため一年耐えてきたそう思わせて和（にこ）やかな梅　上林　節江

一点　4　冬の夜は昭和の銭湯思い出す若さのみなる東京暮らしの　安部　律

四点　5　六十年　ひかり和らぐ薬指の婚の証を独りいとしむ　藤野喜美子

三点　6　スマホの灯かざして姉の読みくれし絵本に和む(なご)ガザの子の夜　土井　敬子

四点　7　世界中の平和の女神よ目覚めよう母なる愛で戦争止めん　滝口智枝子

〈一位〉

六点　8　茜さす色のひかりのつれてこよ星を平和でくるむがごとく　和田　健二

三点　9　区民まつり初のお披露か子すずめは当り和ますママを横目に　片倉ひろみ

0点　10　畳替え藺草の香り宵寝すも伝承託し和室の建(だ)てを　青田不二子

一点　11　来し方を歌詞に重ねて口遊む昭和の頃のわが青春へ　佐藤　昌

一点　12　今の世はデジタル化して　毎時打つ野鳥の和声　親しや「カッコウ」　佐藤　愛子

0点　13　和戦ともかかる心があればいい咲く花もある酷暑の中に　佐藤　光正

0点　14　青空の澄みて平和を思いたり拠り所なる憲法守らねば　村上　康子

二点　15　知らなかった浅葱(あさねぎ)と書きあさつきと、酢味噌和えこそ亡き母の味　今野　勝子

三点　16　皆と和し歌いつぐ日々流れたり愛と涙と笑いのうちに　熊谷とも子

〈二位〉

六点　17　寺の朝平和を祈る小さき手凍りつく世に未来の光　相馬美恵子

三点　18　モニターに光みつけた五週目に全てのいのちの平和を念う　佐藤　香織

会食が始まりました。一人一人が三分間スピーチをしました。今日は会場の構造上アトラクションはありません。その分、じっくりと食べ、語り合い、親睦を深める時間が流れたのです。私は三分間スピーチを次のように述べました。

「地中海の歌友からメールをもらいました。メールにはこうありました。『地中海の短歌は、叙景歌が多くてお上品すぎる。もっと、人間本来の心根を描くべきです。体裁は必要ないですよね。』私は、思います。表現には、包みもつ喜怒哀楽をストレートにぶつけるやり方と、物や風景に仮託して表す方法とがあります。ストレートな表現は分かり易いですよね。思いを仮託して表現するのは高度で難しいなと思います。しかし、出来上がりますと、より深いものが一首に宿るような気がします。私は、物や風景に自分の心を重ね合わせ、代弁してもらう読み方を勉強したいと思っています。ですから、今日の三首選はその観点で選びました。私の選んだのは、次の短歌です。2番目　ミスショットの心を上向きにさせる姿がいいなと。7番目「女神」とした所がいい。生命を生み育てる母性に焦点を当て、戦争の止んでほしいという訴えは沁みます。15番目　日常の具体を詠んでおり、テーマもいいですね。今日の短歌は題詠ですが、一八首はどれも作者の熱い思いが宿っているなと思いました。」

三首選の上位作品は次の短歌でした。（同点の場合は、提出の早い方が上位です。）

一位は六点獲得の八番の歌。二位は六点獲得の十七番の歌。三位は五点獲得の一番の歌。

三人に賞品が会長より手渡されました。賞品は図書券で一位は三千円、二位は二千円、三位は千円です。入賞者各人が挨拶しました。

参加賞として、全員に地中海原稿用紙一冊が配布されました。

集合写真を撮り、副代表の佐藤光正さんが閉会の言葉を述べました。

紺野紘史さんの名司会により、和気藹藹と会は進み、十五時前にお開きとなりました。

私たちは、限りある命を生きています。時間は無尽蔵ですが、一人一人の残されている時間は逼迫しています。

私は訴えたかったのです。

「短歌は滅びません。表現という美しく燃焼させるものがあれば、私たちはいつまでも青年です。青年の心で老人臭を吹き飛ばしましょう。」

それにしても、ブナの会の相馬さんと香織さんの若さは眩しい程でした。皆のスピーチを一番熱心に聞いていたのはこの二人のように思いました。話す人ににこにこと視線を注ぎ、頷いていたからです。

二次会は、カラオケでした。

八名が参加しました。

私もついに一曲歌ってしまいました。

9　病む日も共に

湾の会の会員は二十六名います。九十代が三名。六十代が一人、七十代前半が二名。あとは八十歳前後に集中しています。他に、購読会員が一名。皆、それぞれに病気の一つぐらいはあって、折り合いをつけて生きています。

会員の一人は、重い治療と手術が必要になりました。できるだけ月々の短歌は歌会に提出したいし、また、可能な限り歌会に出席すると言っており、前向きです。十一月から入院治療が始まりました。

彼は十一月の歌会には短歌だけを提出しました。

通常は、欠席者の短歌の合評はしません。しかし、来たくても来れない状況下にあり、心は歌会に繋がっています。私たちのエールとして彼の短歌を合評し、彼に手紙で届けようと話し合いました。

十一月の歌会に提出した彼の短歌は、次の一首でした。

○うつくしく秋包みつつ積む雪に思いきれない思いは今は　N

出席の人々が、一人ずつ感想を述べ、私はそれを書き留めました。

・作者には複雑な思いがあって、言葉に出来ないいろいろな思いがあるのかなと思う。（尾形）

・普通は「いまも」となる事が多いが、作者は「いまは」とした。心に残る歌だ。（村上）

・作者の今の心情を表している一首と思う。（紺野）

・「積む雪に」に作者の心が重なっているようだ。（律）

・結句が「いまは」で途切れているが、そこには「…」がついているように思う。迷う心が後を引いているようだ。（土井）

・「いまも」と「いまは」では意味が違ってくる。「いまも、思いきれない」となり、「いまは思いきろう」という意味なのか。作者の覚悟のようなものが伝わり切ない。（上林）

私は、詠草表に添削の部分を赤字で示し、彼の自宅に郵送しました。彼の治療にはサイクルがあり、入院→退院を繰り返し、三月には手術ということでした。彼は病気のことを会員に公表していいとのことでしたから、エールとして合評し手紙にしようと話し合ったのです。

「今日、退院してきました。手紙をありがとう。嬉しい。」

と、電話がきました。明るい声でした。

月々の地中海本社への短歌七首も、きちんと郵送してよこします。

「今の医学の進歩を信じて、頑張る。副作用は思った程きつくは、ない。」

「また、今月〇〇日に入院します。」

作品には、短い手紙も添えてよこします。

彼の二十首は、「県短歌賞」で佳作に入選しました。

「誉だから、来れるときは短時間でいいから来てね。」

と、励ましました。

十一月二十六日の「県短歌賞・歌人の集い」に、ちょうどタイミングが良くて、彼は出席しました。

皆で拍手をもって迎えました。

十二月の歌会には彼の詠草はありませんでした。ありませんでしたが、私は詠草表を彼に郵送しました。

電話がきました。

「自分の短歌が詠草表にないと、寂しい。一月の新年歌会には参加できないけど、二月の歌会用の詠草は出したいな。」

「私も寂しい。短歌を待っているよ。皆も待っているよ。」

治療の合間に帰宅すると、彼は電話をくれます。

「昨日、退院してきました。副作用は思ったよりひどくないです。」

私は声を聞き、元気のある様子にホッとします。

二月の歌会に、彼は欠席でしたが、詠草は提出しました。

○ 瞼をうすく結びし冬の夜は風の和音に身をかさねおり　N

皆さんの歌評は、次のようでした。
・上の句は物思いをしている場面か。下の句は、風の和音に包まれている静けさが伝わる。（滝口）
・すてきな歌。上の句は、眠れない状態か。下の句に作者の思いが表れているようだ。（村上）
・物思いの心情が伝わってきて、つらい。（和田）
・風の音に、不安感が伝わる。（昌）
・大変な状況なのかなと心配。体が、冬の厳しい風にさらされているような不安感があるように感じる。（尾形）
・風の音に耳を澄ましながら、じっと待っている心境のような気がする。（律）

皆さんの感想には、作者への温かい心寄せがありました。「不安感」と捉える意見しか出なかったので、私は次のように言いました。

「大変なつらい中に作者は今いると思うけれども、短歌に「風の和音」という美しい表現を練り上げている。作者の気力は衰えていないと感じる。」（上林）

がんばれ！という思いが、どの人からも語られました。

私は、皆さんの応援の言葉を作者に手紙で送りました。

彼から電話が来ました。

「嬉しい。三月には結構大きな手術になる。がんばるよ。」

「歌会で会いましょう。ここを乗り越えて下さい。」

三月になりました。

三月十日の歌会用に、送ってきたのは次の短歌でした。

○ 椰子の実の漂流小女よわれもまた椰子の寂しみ負うて漂う　N

この短歌は、入院中のベッドの上から友人に電話で伝えたものとのことですから、もしかしたら二句目は「漂流少女」かもしれません。

歌会での皆さんの感想は次のようでした。
・きれいな一首だ。しかし「漂流小女」が分からない。（洋子）

・入院中のベッドから、「いい短歌が出来た。」と喜んで伝えてきた。嬉しそうだった。作品には、入院中の心情が込められていると思う。（和田）
・「小女」でなく「少女」ならば何となく分かるような気がする。（村上）
・「小女」を抜けば、椰子の身に自分を重ねていると意味が分かりやすくなる。（尾形）
・「椰子の実」という歌がある。あの中に「小女」の歌詞があったっけかなあ。（紺野）
・この短歌は椰子の実の漂流に今の自分の身上を重ねており、作者の思いは下の句に表白されていて、切ない。手術を前に不安感があるのだろう。（上林）
手術を何とか乗り越えてほしい。そして、晴れ晴れと笑う姿を見たいと誰もが思ったのです。皆の感想を書いて、三月の詠草表を郵送しました。

三月十三日付けの消印にて、地中海本社への短歌七首が郵送されてきました。

手紙が添えられていました。

「三月中程に、最後の仕上げの手術を受ける予定です。ガンバッテ、皆さまと再会出来ることを願っております。」

私は、祈る思いで一日一日を送りました。三月はなかなか重くて、時間の歩みが遅々として進まないように感じました。

四月になって、本社へ提出する短歌七首と手紙が郵送されてきました。

「手術は無事終わりました。引き続きリハビリに専念して体力の回復をはかります。何もかも待ち遠しく思えてなりません。皆さまに宜しくお伝えください。」

私は、ホッとしました。嬉しくなって彼の携帯に電話をしました。彼の言葉です。

「昨日まで体に四・五本の管が入っていて不自由だった。今日は三分の一に減って体が解放されたような気分に。体力をつけて、また、皆に会えるようリハビリをがんばります。」

彼は、治療に立ち向かい、耐え、手術を乗り越えました。

これから、新しい生活が始まります。その生活はどんな世界なのでしょうか。きっと、明るく、前向きな世界を彼は展開してくれることでしょう。そこから紡ぎ出される短歌が読者の心を打たない訳はありません。

人間は、人生においてさまざまな困難に遭遇します。しかし、それにどう立ち向かい、乗り越え、プラスに切り換えていくかを模索するのが人間。

短歌の仲間として、笑い合い、励まし合って生きていくことができることを喜び合いたいと思います。

10　間接体験

テレビの番組で「オーロラ爆発」についての放送がありました。

私の年齢や病体では、フィンランドやカナダの極北地に行くことは無理ですから、興味深く視聴しました。

放送では、オーロラを「磁気嵐」として科学的に分析し解説していました。

私は、科学的だけで片付けてはロマンが薄れるなと思いました。もし、私がオーロラの下に立っていたら、めったにない恵みに遭遇できたと感激してひれ伏すだろうなと思いました。テレビの映像でしたが、自然の姿の深淵さに心躍りました。様々な奇跡のような繋がりの中で、宇宙も地球も人間も存在しているのかと深い感動を覚えたのです。

私は、その時の思いに従って、次のように詠みました。

●オーロラを磁気の乱れと言う勿れ天与の幸とひれ伏すわれに　令和五年

これは、テレビで見てのオーロラですから、間接体験です。直接体験だったなら、もっと迫力のある短歌になるかもしれません。手の届かないものへの渇きのようで心が満たされません。

しかし、全てのものを直接体験することは不可能です。オーロラもグランドキャニオンもゴビ砂漠も、エベレストも北極ももはや私には映像で見るしかできません。それゆえに憧憬の的として心に迫ります。

直接体験ではないものを直接体験のような立ち位置で短歌を詠むのはどうなのでしょう。秋葉四郎氏著『短歌入門―実作ポイント助言―』（飯塚書店）を読みました。

秋葉氏は「歌にならない自然」という項目で、次のように記述していました。

『自然を素材とする場合、歌になる自然と歌にならない自然がある。歌にならない自然として「間接体験」がある。小説やテレビなどで見た自然をその場で見たように歌う。見てきたような嘘を言うのであるから歌にならない。』

秋葉氏は、誰もまだ詠んでいない素材を求めて冬のオホーツクや金華山に実際に行き短歌を詠んだ佐藤佐太郎を師としていますから、現場主義の思いが強いのかもしれません。

この本で氏は、自身を次のように言っています。

『私の作歌は、自分の目で見た世界、体験した全てを尊重して、経験の声として歌う立場にある。』

秋葉氏の捧げ持つ核は分かります。だから、斎藤茂吉の足跡を慕ってドイツへも行ったのでしょう。しかし、万人が地球の全ての絶景を直接体験できるわけがありません。オーロラという素材については、秋葉氏は次のように書いていました。

『エベレストやオーロラなどは、荘厳に満ちているので歌になる自然。』

私はテレビで見たオーロラですが心に迫り、短歌にしたいと思いました。しかし、間接体験で詠んでいますから、作っているという感じを払拭できませんでした。そこに蟠りが生まれ理屈で詠んでいるような感じがして　いまひとつ詠嘆の醍醐味を味わえないのです。

秋葉氏の声が聞こえるようです。

「だからね、歌として力を持たないから間接体験には限界があるんですよ。」

私の心は揺れます。

一つは、直接体験したことしか許されないとしたら歌の世界が狭くなります。表現は想像力を働かせ大らかに自由ではいけないのでしょうか。

もう一つは、短歌は「自照の文学」と言われますから自分自身を客観的に冷静に見つめつつも熱い詠嘆を、作り事でなく詠むことが大切ではないかという思い。

寺山修司がいました。

寺山は、生きている母を死んだという設定にして短歌を詠みました。寺山の伝記を読みますと、幼い頃から母と同居の記憶が少なかったと書いてあります。母に捨てられたような思いも抱えていたと。だから、死んだこととして母を詠んだのかもしれません。それも、寺山の母恋いの心なのかもしれないと私は思います。

寺山は、このことで世間からバッシングを受けました。寺山はそれを背負って生きました。

寺山の胸の内に後悔があったでしょうか。それとも、表現は自由で俺は俺の表現を生きると敢然と前を向く思いだったのでしょうか。

いずれにしても、強烈な生き様です。私と同じ病気で浮腫みのある寺山の写真に親近感は湧くのですが、私は寺山のようには強く生きられないなと思います。

悩む時は、尊敬する短歌の大先輩にメールをします。

「テレビで見たピカソの東京のゲルニカ展を、その場で見ている立ち位置で短歌を詠むのは邪道でしょうか。」

「歌の満足感でしょうね、自分に対する。」

「結社の歌会でこのような短歌が登場した時、駄目と歌評するのか、罪のない思いだねと肯定的に話していいのか悩みます。最近、自分の言葉に責任を感じて。」

「分かります。なりすましての短歌もありますが、作品としての出来が評価のポイントだと私は思います。」

「作品次第？　作品の出来具合が評価の分かれ目？　短歌は難しいですねえ。」

例えば、宇宙船に乗って木星の輪をくぐってきたとか、肺魚になって日本海溝の底を見てきたとかいう普通はまだ実現不可能な空想の短歌は、説得力を持ちません。空想として破天荒に楽しむのは自由ですから駄目とは言いません。それにより生きる実感を楽しんでいる人もいるかもしれませんし、制限は不要です。しかし、短歌大会やコンクールに出した時には、絵空事として軽く扱われかねません。

しかし、生まれつき盲目の人が、点字で学習して見えた世界を見ているように詠むことは許されましょう。それは、学習により科学的、文学的に修得した現実に根ざした世界ですから、絵空事ではなく、市民権を持つのではないでしょうか。

表現は難しい。難しいですが大らかな自由度もありますから、自分の納得に従って楽しめばいいのかもしれません。

自然災害を詠う時は、どうでしょうか。

令和六年一月一日に、能登半島地震が発生しました。その様子を伝えるテレビの映像に私は絶句し、目が釘付けになりました。たくさんの短歌がほとばしるように生まれました。

二月の湾の会の歌会には、これを素材とした短歌を十二人中七人が提出しました。

1　「大津波、にげろ」の連呼おだやかな初日ふきとび能登にくぎづけ　上林　節江

私は、テレビのニュースに驚愕しました。何という大激震。何という大災害。信じられない、嘘でしょうと心は叫び続けました。これは短歌に詠んで記録しなければならないと思いました。

こういう時事詠では、具体的に詠むことが大切です。そうでないと概念的になりますし他人事になるのです。

アナウンスが繰り返し流れました。

「大津波、逃げてください。ためらわないで下さい。すぐに逃げて下さい。高台に避難してください。」

この言葉は、私の心に刻まれました。「びっくりしたあ、信じられない、嘘でしょう。」と

言う代わりに、緊迫のこのアナウンスを初句に持ってきました。そして「ふきとび」「くぎづけ」と語を選び構成しました。

歌会では、次のような声がありました。

「確かに、あの時のアナウンスは強烈だった。自分もよく覚えている。」

「緊迫感が一首全体から迫る。」

「私もたくさん短歌を作った。**ふき**とびと上林さんはしたが、私は**ふっ**とびとした。その辺はどうだろう。」

「話し言葉の口語にするかは、一首全体から考えて、作者の自由でいいんじゃないか。」

2　地震では残酷なほどに生と死の境界線は曖昧なまま　　紺野　紘史

「生と死の境界線」にポイントを当てたことは、テーマとしてはいいなと思いました。大災害では生と死は紙一重ですから、大事な視点です。

末尾を「まま」と体言止めにして断言した点もいいと。「ままか」などというように半詠嘆・半疑問にして読者に投げ掛けたのでは、一首の力が弱まります。

初句には、ウーンと頭を傾げました。エッセイや小説ならばこれで通るでしょう。短歌は、作者の思いを強く伝えます。私ならば「大地震！」とか「激震ぞ」とするなと思いました。そうすれば、作者の思いは初句に籠もります。

歌会で、私は、この初句について考えを述べました。

「大地震ビックリマークも、いいのではないか。」

「今は分かるが、十年後には能登地震と分からなくなる。初句を能登地震としたらどうか。」

作者は、言いました。

「分かりました。初句は　能登地震ビックリマークとします。」

私は、結句の「曖昧な」ということが具体的に何を言っているのか分かりませんでした。

作者は、次のように説明しました。

「生き残った人たちも、生きているのか死んでいるのかわからないと呟いていた。そのことから引き出した。」

皆さんの共感を得、このままになりました。

3　ぐるぐると「一寸先は闇」という言葉めぐれる能登大地震　　尾形　悦子

「ぐるぐると・・・めぐれる」と、自分に引き付けて詠んでいますのでこれでいいと思いました。

皆も同じ感想でした。

4　彩のなきあの日重なる映像にはかなく哀し生きて在ること　　安部　律

「彩のなき」とは、まさに十三年前の東日本大震災の時に私たち被災者の実感でした。ショックで世界がモノクロに見えたのです。

私の場合は、色彩が戻って来たのは一年程経ってからでした。

作者は、過去のショックを重ね合わせて今の能登半島を見つめており、独自性のある表現です。

下の句の詠嘆は、人それぞれの思いですからこれでいいと思いました。人生観や死生観、価値観は尊重されるべきです。

歌会では、次の意見が出ました。

「上の句が独自性のあるいい表現だ。」

「初句をモノクロとしたらどうか。」

独自性ということで、原作のままになりました。

5　三日月の側に寄り添う星のよな能登にも届けこの温もりよ　　佐藤　昌

作者は、星を三日月に寄り添い温めている存在ととらえたのでしょうか。そうならば、四句と五句は逆の方が意味が繋がります。

また、「能登にも届け」は作者の祈りですから、これを結句にした方が効果的です。

歌会では、「よな」を「夜な」と読み取った人もいました。一首全体を読めば夜の場面は明白ですから、これは「ような」でいいのではという意見も出ました。紛らわしいので字余りになっても「ような」としたらどうかとも。一首全体から眺めた場合は「ように」がいいなと私は思いました。

作者の宿題となりました。皆さんの意見を聞いて最終的に決定するのは作者です。

6　訳もなく涙あふれし彼の日思う能登大地震のつめあと深き　　村上　康子

十三年前の自分の体験と今の能登半島地震を重ねて詠んでいます。手法としては、これでいいです。

気になるのは、初句の「訳もなく」です。訳は、厳然として明確にあるのです。ここを言わなければこの一首は弱い。「悲しくて」でも「おののきて」でもいいから、とにかく涙のあふれた理由（背景）を作者はもっと深追いすべきです。

歌会では、初句が二つの意見に分かれました。

一つは、「ムードがあって、いい。」

一つは、「『訳もなく』ではなかった筈。そこを出すといいのではないか。」

作者は言いました。

「私はあの時、大した被害がなかったので悲しいとか言いたくなかった。」

私は言いました。

「そうかあ。ならば気がつけばという表現もあるよ。これだと奥行きがある。何か訳があって涙が溢れたのだなと読み取ってもらいやすい。」

これも、作者に後で再考してもらうことになりました。

7　寒空に余震の続く能登半島吾が身に迫る陸の孤島よ　　阿部　洋子

作者には、地震により交通網の断絶して孤立している集落への心寄せがあり、それを詠みたかったのでしょう。テーマとしては、いいのです。

気になるのは「吾が身に迫る」です。この表現では作者の身に陸の孤島という状況が近づいているとなり、作者は能登にいるのかと読み取られることも考えられます。それでいいのでしょうか。

作者が仙台にいて思ったことであるならば、ここは「身につまされる」とか「胸のふるえる」とかにすれば、「他人事ではなく思っている作者」となり落ち着くのではないでしょうか。

歌会では、この点に話し合いが集中しました。

「わが身のことのように思われるという意味だろうから、これでいいのではないか。」

と、賛同する人は多くいました。

私の意見は、次の点です。

「片方の意味としてはそれでも通せるだろう。しかし、もう片方の意味で読み違いの生じる表現なので、誤解のない表現に練る必要性を問題にしているのです。」

湾の会は優しい会なので、善意に解釈してスルーする傾向があるように思います。善意だけでは他結社の人に通じません。問題点にきちんと立ち会わなければ学びになりません。

日本語は一つの語にいろいろな意味があります。日本語は前後の語や語句とのつながりで意味が導き出されます。

「迫る」の意味には、①近づく、近寄る　②ゆとりがなくなる、窮する　③貧苦になる、貧窮する　④不足する、欠乏窮迫する　⑤しいて求める　などがあります。

「危険が身に迫る」の場合には①の意味ととらえるのが妥当です。同じように「陸の孤島が吾が身に迫る」は、「交通の便が最悪で周囲から隔絶した地域という状況が作者の身に近づいている。」となるのではないでしょうか。

皆さんが言うように「わが身のことのように真に迫って感じられる」という意味ならば、「身につまされる」というぴったしの日本語があります。これは「他人事ではなく思われる」の意で、こういう場面に使える日本語です。

歌会で話し合うという作業は、表現にケチをつけているのでも意地悪をしているのでもなく、日本語の持つ意味や働きを勉強していることなのです。

作者の訴えたいこととが、きちんと伝わるようになっているか、誤解を招く表現になっていないかを考え、よりぴったしの日本語を探し知恵を出し合う集団推敲、共同推敲をしているのです。皆さんの感想を聞いて作者が自分で気付かない欠点に気付くこともあります。皆さんの知恵をもらって日本語の樹林を広げることもできましょう。最終的には作者自らが決めればいいことです。

共感して褒めることは大事です。これがなくては息が苦しくなります。しかし、問題点に目をつむり、「いいねえ。いいねえ。」だけで終わっては「何でもいいねえ。どうでもいいねえ。」と同じことになってしまい作者への本当の親切になりませんし、集団の学びに繋がりません。

湾の会の歌会は、月に一回です。毎週開いている歌会ならば「いいねえ。いいねえ。」と、サロン的雰囲気で終わる日があってもいいかもしれません。しかし、月に一回ですから、もったいないのです。どこがなぜいいのか、どこがまだ作者の訴えから遠いのかを十分に話し合い、集団のスキルを高めたいのが私の願いです。

今回の歌会では、

「十三年前の東日本大震災を思い出した。他人事でない。」

「フラッシュバックして、つらかった。」

という声が多く上がりました。

私は、次のようにも詠んだのです。

●三陸とおなじ定めの能登なるか頻発地震も嘆きの声も　　令和六年

私は、能登半島地震を素材にして十首ほど詠みました。

私たちは十三年前に大震災を体験しました。その当事者だという思いがありますから能登半島地震の恐怖も痛みも、寒さも、悲しみも困難も自分に重なります。

私の母はあの時の四月十二日に、劣悪な環境の中で肺炎で亡くなりました。

テレビで見て短歌にしたと言っても、間接体験が過去の実体験と重なりますから、嘘や作り事の入り込む余地はありません。詠まずにはいられない事なのです。

令和六年二月の湾の会の歌会で、能登大災害を詠み、話し合えたことを意義深く思いました。


なりすましての短歌は嫌われます。歌人としての心根が卑しいという人は多いのでしょう。

秋葉氏の文章が蘇ります。

「見て来たような嘘を言うのであるから歌にならない。」

尊敬する大先輩のメールが浮かびます。

「歌の出来次第が、評価のポイント。」

このことは、まだまだ考えていかなければならないという思いを深くしています。私の基本的な考えは「自照の文学」を捧げ持ち、あからさまな嫌味や奇を衒うために作り事をするのは好みません。

それと同時に、自分の心が真実に抱いた感慨やテーマであるならばその心の声を生かしたいとも思うのです。しかし、短歌大会やコンクールに応募する時は、慎重になると思います。表現は自由な創作活動ですから、どこまでが真実で、どこからが作り事になるのか、その境は難しいです。

しかし、これだけは言えるかもしれません。自分の心が一番厳しい審判者。作り事だなと心が軋むならば、私は避ける道を選びます。

短歌を敬い、捧げ持つ気持ちが導いてくれるでしょう。

11　話し合うことは学び合うこと

湾の会の機関誌「地中海灣往来」第九四号（令和五年十二月発行）の巻頭言に、紺野紘史さんの文章「説明的とは」が載りました。

私はそれを読み、二つのことを考えました。

一つは、次の点についてです。

「私は未だに「説明的」を理解できずにおり、その表現から抜け出せないでいる。」

そうか、その点で悩み、学びたいと思っている会員がいるのか、他にもそのように思っている人がいるかもしれない。これは「歌話」として歌会時に取り上げ皆で話し合い、勉強したいなと思いました。

二つ目は、紺野さんが記述している永田和宏氏の添削についてです。

これを一回で話し合うのは時間的に無理です。二回に分けなくては駄目だなと思いました。会員が何に悩んでいるかは、なかなか掴みにくいです。巻頭言に書いてくれたので分かりました。

機関誌は年三回発行されます。内容は、「巻頭言」「作品批評」「会員の作品発表（十首）」「わが心の秀歌」「歌つれづれに」「下部組織の各歌会からの発信」「湾の会通信」「編集後記」です。

機関誌が皆さんの手元に渡っても、会員同士の語らいが起きません。

機関誌だけではないのです。結社の同人月刊誌「地中海」が着いても話題にのぼりません。読んでいるのかなあ、反応がなくて寂しいなあと思います。私は湾の会員の執筆文や、作品批評に採られているものを見つけると、すぐにメールを送ります。

「書いていたね。いい文章だね。」

「作品批評に採られて褒められているね。おめでとう。」

私は、「地中海」二〇二三年十二月号に「冬のアンソロジー」の文章を書きました。私としては、力を注いだつもりです。安部律さんがすぐにメールをくれました。

「冬のアンソロジーを読んだよ。さすがです。」

反応は、この一つだけでした。せっかく共通の話題があるのですから語り合いたいのです。

紺野さんはいい問題提起をしてくれたと思いました。

「紺野さん、あなたの巻頭言を歌会で話し合いたい。取り上げていいですか。」

「いいでーす。宜しく。」

「副会長の光正さん、紺野さんの巻頭言を二月の歌会で話し合いたいんだけどねえ。」

「了解です。巻頭言の文章のコピーを私がします。」

「お願いします。私が資料を作ります。」

令和六年一月の空をメールが飛び交いました。

湾の会歌話　「説明的短歌とは」　二〇二四年二月十一日　上林　節江

みなさんは、どんな短歌を説明的と思いますか。

説明的であるかないかの境は、曖昧です。読み手によって、感じ方や判断が異なりますから。

このことを学ぶために、私は、『大人の短歌入門』秋葉四郎（角川書店）を読みました。

本では、次のように述べ、例となる短歌を取り上げていました。

「短歌は、抒情詩で「感情」を伝える文学。詩情が命である。
それに対して、語の羅列や理屈性の強い短歌だと、詠嘆の感情が薄まっていて説明的と感じる。また、理屈でつじつまを合わせようとするから言葉が「即き過ぎ」て詠嘆の感情を薄めてしまう。

〈例一〉

○ 故郷の従姉は言へり死に近きゆゑにいろいろ片付けゐると

内容は現代の世の様、人の様を詠って悪くありませんが、二句と結句あたりはいかにも説明的です。感情表現の詠嘆になっていません。

◇ 故郷の従姉さへ言う死に近きゆゑにいろいろ片付けゐるとぞ

一案ですが、感情を強く出す「さへ」や「ぞ」を上手く使うことによってより詠嘆調になりましょう。

〈例二〉

○ マジョリカ島のオリーブの老樹の森の中のショパンの隠れ家ピアノと楽器

助詞「の」が重出した典型的な説明表現です。「の」を省けば詠嘆表現になります。

◇ オリーブの老樹森なすマジョリカ島にショパンの隠れ家のあり

「ピアノと楽器」まで一首に入れるのは無理で単純化を図る必要があります。」

この文章を読んで、成程と思いました。レッスンしようと思い「地中海」二月号C欄の短歌を読んでみました。私が、説明的かなと思った短歌は次の作品です。

○夏休み向こうから来る日焼けっ子ユニホーム似合う女子野球

野外で運動している子だろうと分かります。「女子野球」まで言うと詰め込み過ぎで説明的な印象を受けます。ここは「日焼けっ子」と「ユニホーム」に焦点を絞り、私なら次のようにしたいと思いました。

◇夏休み向こうから来る日焼けっ子しろいユニホームよく似合ってる

○バックミラーに頭を何度もさげる老人センター越えてミリ差で回避

車と老人があわや接触という怖い場面だったのでしょう。だから、短歌に詠まずにはいられなかったのでしょう。この語順では上の句の説明がつきません。逆なら分かります。

◇センターを越え来た老人ミリ差で回避あたまを何度もさげるが見える

○ 子どもたち黄色の帽子手を挙げる　車が止まるここは日本だ

「ここは日本だ」と力んでいる結句が浮いている感じがしませんか。一首がぶつぶつ切れている感じも受けます。ここは、主語を「子どもたち」一つにしてはどうなのでしょう。

◇ 子どもたち黄色の帽子の手を挙げて止まる車ににっこりと笑む

○ 叱られた訳(わけ)解さず泣く吾子の瞳に顔甦る不機嫌な母の

内容が、くだくだしいなと感じます。「甦る」なので甦らせているのは作者ですから、吾子と作者と母の三人の登場人物となります。詰め込み過ぎてはいませんか。感動はどれか分かりません。全体的に説明調と感じてしまいます。

これはC欄の人に限ったことではありません。私たちA欄でもやってしまうことです。

大事なことは、自分は何に心が動いたのかをしっかり掴み、それが読者に伝わるように意識して詠むことではないでしょうか。

なくては分からない言葉はしっかり付けて、なくても分かることやダブル語は一つに絞るなどをすればくだくだしいとか説明的と評されることは、だいぶ減るかもしれません。

作者の思い（詠嘆）が、まっすぐに伝わる短歌を、「宮城県歌人協会創立七十周年記念合同歌集」から拾ってみました。『あをばの杜』からです。（令和三年刊）

○防人は東北出身の人多し今原発の防人ふくしま　小坂　紀子（音）

下の句に、作者の怒りも嘆きも籠もり、沁みます。

○さくらさくらまた咲くは良し死んだ振りしてゐる細胞身内に持てば　佐野　督郎（長風）

上の句に思いをパンと出しています。

○ここまでは人押し寄せず秋の風臼杵の石のみほとけに吹く　沼沢　修（一）

上情下景の短歌です。

○なに恋ふといふにあらねど幼くて別れし亡父の声を知らざり　平抜　敏子（歩道）

父恋いの短歌。概観からスタートし、レンズの焦点を絞るようにして「声を知らざり」という具体で締めました。

○さざなみはとへにはたへにかさなりて世界をおほふすでにたかなみ　菊地　孝彦（短歌人）

これは、コロナウイルスの広がりが題材。さざ波から始まり、リズムに乗せて結句の高波までもっていく一気呵成の流れが見えます。

どんな短歌を詠みたいかは、人それぞれです。
ただ頭で考えていてもどうにもなりません。とにかく、たくさん短歌を読むことです。そして、いいなあ、自分もこういうふうに詠みたいと目標を持つこと。
目標は一つとは限りませんし、年々に違って流動的でさえあります。
それでいいと思います。
短歌を詠んで、わくわくして暮らしましょう。

最後に、湾の会の人の短歌を見てみましょう。
令和六年一月十四日の「湾の会新年歌会」の詠草に次の短歌がありました。

○ ミスショットを和ますつもりか赤トンボ腕に止まりて目玉クリクリ　紺野　紘史

私は、この二句目があって成功した一首だなと思いました。
例えばこれを次のように詠んだらどうでしょう。

○ ミスショットかさなるわれに赤トンボ腕に止まりて目玉クリクリ

作者の思いが掴み取りにくいと感じませんか。
「ミスショット」「赤トンボ腕に止まり」「目玉クリクリ」は、どれも作者の目が見つめている具体ですが、それだけでは、読者は「何を言いたいの?」となります。「和ますつもりか」と思いを入れたことで、結句と響き合うように感じます。トンボのクリクリと動く目玉は、ドンマイドンマイと励ましているような、慰めているような感慨を誘いませんか。

『あをばの杜』に、次の短歌がありました。

○ 京鹿子の花が咲きました。愛しいお人の訪れのように　佐久間するゑ子

「京鹿子の花」を「愛しいお人」に見立て、「咲いた」を「訪れ」と言葉を編みました。するゑ子先生の自由律短歌が恋しいです。

○ 如意輪観音のように片手を頬に添えてみる。不安が消えそうなので　佐久間するゑ子

二首ともに、下句に思いが籠もります。

荒々しくないビロードのような作品で美しいですね。

令和六年の湾の会会員の短歌には、このように上品でおっとりした作品は見当たらないような気がします。

もっともっとたくさん短歌を詠んで、私たちを導いてほしいなと思うのです。


次の一首も『あをばの杜』にありました。

○早々と正月モードのウィンドーに置いてけぼりの私が映る　　安部　律

はやばやと正月の商戦の始まっている街の中にあって、時間（季節）の流れについていけないないなあという作者の戸惑いが、「置いてけぼり」に込められているように感じられます。

湾の会歌話「仮託して思いを伝える」　上林　節江

紺野紘史さんは、永田和宏氏の添削を次のように巻頭言に書いていていました。

・踏切のブザーと竿で遮断される人と車の苛立つひととき

← どんなふうに苛立っているのかを〈具体〉で伝える

・踏切のブザーと竿で遮断さるる人も車も足踏みをする

永田氏は、思いの中味を言葉に置き換えるのではなく、伝えたいコトを動作や情景や会話やオノマトペや、ある場合には比喩で〈具体〉に置き換えて伝えるのが、短詩型における表現であると述べている。

なるほどと思いました。「苛立つ」は作者が判断した結論です。永田氏は、作者の結論をズバリ言うのではなく、そう思わせた情景を具体的に描写してそれによって読者に伝えよと言っています。「足踏みをする」に置き換えました。これは「仮託」というやり方だと思います。仮託とは「言寄せる・事寄せる」の意味で、「委ねる・代行してもらう」というやり方です。今日は仮託について勉強してみましょう。

物に仮託

○ 幻のごとくに病みてありふればここの夜空を雁かへりゆく　　斎藤　茂吉

山形に疎開中に、茂吉はひどい肋膜炎を長く患ったと伝記にあります。夜、病床に臥す老境の茂吉は北帰行の雁の鳴き声に耳を澄ましています。下の句に、哀しく心細い心情を託しているように感じます。

「かへりゆく」には、東京の家族のもとに自分も…という思いなのでしょうか。東京に在っては故郷山形を思い恋がれ、山形に在れば東京を思うとしたら、人間はどこに居ても漂泊の思いから逃れられないのかもしれないと、茂吉を見ると思われてなりません。

寂しいとか悲しいとか哀れなどとは一言も言ってはいませんが、全体から伝わってくる孤愁の思い。それを雁に仮託しているのではないでしょうか。

○ 寂しさの湧けるあざみのけふはなく草はら刈られ日の照るばかり　　久我田鶴子

本では「無くなってしまったという喪失感から、ありし日のあざみの表情を追懐しています。」と書いていました。

「あざみ」は何を指しているのでしょうか。一首をつつむ寂寥感・無常観は半端でなく深く大きいものに感じられます。人生の大切なものを失ったのでしょうか。

「私は寂しい」とは言わず、「寂しさの湧けるあざみ」と薊に仮託しているように思われます。

行為に仮託

○ 十年経て墓に納むるわが孫の小さき骨をしばらく抱く　　松山　益枝

孫さんは幼くして亡くなったのでしょう。十年間も身の側に置いてきました。しかし、十年経てやっと納骨する気持ちになったのでしょう。手放すことの無念、孫への哀憐、愛憐が、結句の「しばらく抱く」によって伝わってきます。これは行為で思いを伝えています。

○ 春の日を病みてこもれば君のため一枚の皿も磨くことなし　中条ふみ子

本では、次のように書いていました。

「病気にこもってしまい、何もしてあげられない恋人か夫への思いですが、その寂しさを寂しいとも辛いとも表現せず、「一枚の皿も磨くことなし」と日常の生活感からの表現にしたところにより、「ただごと」から救われ、詩が生まれた。」

元気なら、料理をたくさん作り食べてもらい、たくさんの食器を喜んで洗う作者なのでしょう。それが出来ない無念さが下の句の表現により強く伝わってきます。

情景に仮託

○ ぐらぐらと赤大輪の花火散り忘れむことをつよく忘れよ　小池　光

本では、次のように書いていました。長文でしたので抜粋します。

「作者は花火を見ています。その様を据え、描写しています。

青春の蹉跌の傷のようなもの、それをすうっと消える花火に託して念じています。」

作者には青春時代に失敗と思うことがあるのでしょう。呵責の思いなのでしょうか。忘れたい、忘れようと強く思う気持ちを「花火散り」に託しているように感じます。

○ 花にある水のあかるさ水にある花のあかるさともにゆらぎて　佐藤　佐太郎

池の面と桜の煌めく明るさや美しさを、対句を使い一気に詠いあげています。じっと観察している作者の姿が見えるようです。観察して掴んだ光のような煌めきを感覚的に表現しています。

「美しいなあ」とは言わず、その思いを花と水の煌めきに託しているように思われます。この思いは一首全体を通して発信しているように感じます。繊細に研ぎ澄ました佐太郎短歌の世界が伝わり、私は、わくわくします。

オノマトペを使う

オノマトペ（擬音語）。実際の音を真似て言葉とした語で、擬音語・擬声語・擬態語があります。

〈擬音語〉　さらさら・ざあざあ・ぽとぽと・カンカン・ドスンドスン　など

● とんとんと階段下りくる女の孫の乙女さびしてその音やわら　上林　節江

〈擬声語〉　わんわん・ぴいぴい・ブーブー・カーカー　など

○　林間に沼あかりしてころろころろ蛙かつ啼く一人い行くに　　古泉　千樫

〈擬態語〉　にやにや・ふくふく・しずしず・つんつん　など

○　月光のゐみゐみと見ゆ戦後とふ濃き時間の後なるいまを　　伊藤　一彦

まとめ

「仮託」の方法は、さまざまにあるのだなと思います。これは、皆さんが普通にやっていることであり特別なことではありません。今日は少し意識して取り上げてみました。勉強したからと言っても、すぐに自分の短歌がグレードアップする訳でもありませんが、一本調子のマンネリ化を感じている時には刺激になるかもしれません。いろいろなものから刺激をもらい、創作意欲をアップさせましょう。

仮託はストレートに思いを吐き出さずに何かに代弁してもらう方法ですから、抑制心が必要です。私は、それればかりだと息苦しくなります。仮託するか、ストレートに出すか、その両方を自在に使って楽しみたいです。

最後に、自由度の高くて私の好きな短歌を書きます。

○秋草のいづれはあれど露霜に痩せし野菊の花をあはれむ　伊藤左千夫

○迷ひなき生などはなしわがまなこ衰ふる日の声凛とせよ　馬場あき子

○いのち賭くとわれは思へども沈みゆく日の一途さに及ばざるべし　小野　茂樹

○サキサキとセロリ噛みいてあどけなき汝を愛する理由はいらず　佐佐木幸綱

○傘の雫ばさりと払ふこのやうな潔きことほかには出来ぬ　大塚　陽子

出典　『誰にも聞けない短歌のQ&A』日本短歌総研（飯塚書店）
『短歌用語辞典　増補新版』日本短歌総研（飯塚書店）その他

第二章　ささげもつ詠嘆

1 「生の証としてのさびしさ」

「地中海」二〇二二年十二月号に「冬のアンソロジー」として次の短歌がありました。

○ さびしさよこの世のほかの世を知らず夜の駅舎に雪を見てをり　　河野　裕子

この歌を選んだ地中海の同人の永田進一さんの歌評が深いのです。心に沁みましたので、書き写します。

『人の世を生きる寂しさを歌った歌だろう。この世のほかの世を知らずとは、万人の嘆きである。この現世を生きているが、いずれ去ってしまうのだ。電車の発着する夜の駅舎に雪を見ている。生の証としてのさびしさ。不如意を正面からとらえている。』

「生の証としてのさびしさ」とは、深い言葉だと思いました。これをアンソロジーとして、私も短歌を拾ってみたいと思いました。「地中海」十二月号から探しました。

○ 明日のあさ目覚めるつもり死を知らず死を知らざれば永遠の明日　　久我田鶴子

「死を知らず」というリフレインが畳みこむように続き、「永遠」へと引っぱっていくリズムの力。

「明日のあさ」とは違う「永遠の明日」とは深い。寂しさと同時に、厳しい問い詰めが哲学的に迫ります。

○ 切り落ちし君の手の爪拾いあぐ過ぎた命と思いていとし　佐久間すゑ子

夫君の爪が落ちていることに気付き、作者は拾い上げます。さっきまでは夫の体の一部として生きていた爪が、今は物体化していると見つめます。切った爪に夫の生命の証を見ている夫人の菩薩様のように美しい心が伝わってきます。

○ 路の上の埋葬さへも許されぬむくろへさくら降れ花衣　柴田登志恵

路上に転がっていたのは、何の骸なのでしょう。

柴田さんは、芦屋市在住です。桜の季節に埋葬もなく路上に野晒になっている亡骸に、せめて桜の花衣を掛けて弔ってやりたいと見つめます。亡骸は、生の証としての寂しさそのものではないでしょうか。生あるものには必ず死があります。生の行く末にある自分の死を作者は見つめているのかもしれません。

○ おりふしに互みを支えいくとせか共に来た道一人行く道　永塚　節子

夫婦として互いに支え合い生きてきた歳月がありました。今は一人行く道となりましたが、それは共に来た道から続いています。寂しさはありますが、思い出が温かく支えとなっていくでしょう。「一人行く道」と言い切ったところに覚悟のようなものが伝わります。「生の証としての覚悟」もあるのだと思いました。

私にも、「生の証としてのさびしさ」と言えるかどうかは分かりませんが、寂しさを詠んだ短歌があります。

●慰めのひとつと思いし風の音がすべてと知りぬわれを訪うもの　令和三年

まだ、死まで追いつめられてはいませんが、この延長上に避け難く死はあります。一里塚のようだなと思います。

一方、寂しさだけではない生の証としての姿もあります。

「地中海」二〇二二年二月号に次の短歌を見つけました。

○夫からの呼び出しチャイムに急ぎ行くベッドににやり「ただ押しただけ」　市原やよひ

結句が心憎い。妻はやる事が多くて忙しいのに、寝たきりの夫は呼び出しのチャイムを鳴らします。とんできた妻を見て「にやり」と満足の笑みを。夫は妻にかまってもらいたいのでしょう。このやりとりは「生の証」の姿とも言えるのではないでしょうか。

「地中海」何月号かメモを忘れましたが、次の短歌も目に止まりました。

○ ひい孫と話の合わぬひだまりよ君は良寛様でいいのです　佐久間すゑ子

君とは、ご夫君の佐久間晟氏。夫妻は共に九十六歳。曾孫とは世代間ギャップが大きく、話がかみ合いません。それでも「ひだまりのような良寛様でいい」とは、実に人間讃歌で温かい。大家族に恵まれた安寧がみえます。寂しさだけでなく「生の証としての平安」もあると思う時、息が楽になりませんか？

2　「語り始める高校生」に思う

令和五年二月十七日、ＮＨＫ「東北ここから」が放映されました。タイトルは「震災を詠む――三十一文字で刻む、それぞれの〝あの日〟――」十二年を経過してこのタイトルかと思い視聴しました。

高校生が登場しました。ほう、高校生が短歌に震災を詠むのか、それにしても何故今なんだろうと思いました。

宮城県気仙沼高校文芸部。まさに、あの大震災の激震地で痛ましい津波禍がありました。報道に従って心に残った部分を書き出してみます。

○思い出の海はそんなに青くない災禍に転がるカップヌードル
佐藤　日和（十七歳。当時は五歳）

○冷凍の手羽先を冷凍のままシャリシャリ食べた美味しかった
及川　舞　（十七歳。当時は五歳）

気仙沼高校文芸部では、震災をテーマに短歌を詠んできたと言います。震災当時四歳、五歳という幼い子供たちが、今、限られた記憶を辿って言葉を探し短歌を作っているといいます。

及川さんは話します。

「あの時、支援物資の冷凍の手羽先を食べたんです。電子レンジも何もないから凍ったままで食べたんです。それが、とてもおいしいと感じたんです。」

文芸部顧問の先生は言います。

「冷凍の手羽先をシャリシャリ食べたと、そのままを短歌にするとは思ってもいなかったが、逆にそれが新鮮で、生で伝わるかなと思う。」

及川さんは被災した当時のことを、これまで積極的に話してはこなかったそうです。あの日、眼のあたりにした光景はとても怖く思い出したくなかったからだそうです。彼女は言います。

「あと一分逃げるのが遅かったら死んでもおかしくないというくらいの命からがらという感

じだったから、自分のつらい経験を話すのは、私にはどうしても苦手でした。」

でも彼女は短歌に背中を押されて、初めて詠んだのです。

○ 忘れてはいけないことだと分かってるそれでもたまに忘れたくなる
及川　舞　（十七歳。当時は五歳）

及川さんは話を続けます。

「忘れたいけど、忘れられるものでもない。だったら、いっそ残してやろうと今回短歌にしました。

今まで津波のことを話してこなかったけど、今回、いざやってみると、大丈夫なんだなという事がちゃんと確認できた。自分の心が大丈夫なんだなって。昔だったら絶対泣いていたことでも泣かなくなったなと思って、時間がたってちゃんと心の傷って埋まるんだなって実感しました。」

泣かずに言えるようになるまで十二年の歳月が必要だったのかと思いました。心の傷がいかに大きく深いものであったかが分かります。もちろん、彼女の心の成長があってこそ出来るようになったことなのでしょう。それにしても、多感な思春期に泣かずに言えるようになったというところがすごいと思いました。

○もう何が怖いのかすら分からずにひたすら母を待っていました

昆野　永遠（とわ）（十六歳。当時は四歳）

昆野さんの言葉です。

「あの日仕事に出た母が帰ってこない記憶。母親がなぜ帰ってこないのか分からず、待っていなきゃいけなかった。いつの間にか居て私たちはいつも通りっていうのが私にとっての震災だったので、そのまま書きました。

あの時、何が起こったのかよく分からないけど感じていた恐怖心があって、その当時の私の気持ちに言葉をつけるのに「もう何が怖いのかすら分からずに」っていうのは、ぴったりだなと思った。」

○夢の中なんども津波押し寄せてなんども失くす今はなき家

○失くすって押し入れの奥のランドセルさえも失うことだよ、みんな

逢坂みずき　（震災当時高校一年生）

逢坂さんは言います。

「家が失くなったっていうことは理解されているけど、思い出の品まで無くなったことは理解されていないなって気付いていて、そういう気持ちを抱えて過ごす中でパッと短歌の形におさまってくれた。

散文で震災を書くと結構感情が出過ぎちゃう。短歌だとそういうことも軽減される。余分なものを削ぎ落として本当に言いたいことだけをガツンとぶつけられる。」

逢坂さんは三十一文字を使う短歌だからこそ、胸に秘めていた思いを積極的に歌に託せるようになったと語ります。

大事なことを言っているなと思いました。高校生の語る一言ひとことが、短歌の本質を衝いていることに驚嘆しました。

「短歌だと、どこかしら自分とつながるし、全然違う人の震災を知る。」

「自分が体験していないことでも、体験したことがある感じがする。」

東北の高校生たちが、短歌という器を借りて、あの日自分に何があったのかを理解し、それに向き合う心の成長を得て、あの日の記憶を語り始めているのかと、私は感慨深く思いました。

短歌結社「塔」の東北世話役という梶原さい子さんは言います。

「自分の体験したことだけに目がいくが、皆で読み合うことでこんなことを思っていたんだとか、こういうことがあったんだとか、それぞれの〝あの日〟があるんだなということを短歌が教えてくれる。」

昆野さんは言います。

「短歌っていうフィルターを通した後だと、震災の気持ちも自分の中で思い出すことができる。短歌ってすごいんだなあって思う。」

日本文学者（アメリカ出身、東京大学名誉教授、早稲田大学特命教授）ロバート・キャンベル氏は言います。

「短歌は〝短型詩〟なので、無理をせず一首に盛れるだけの言葉にとどめる。あまりにも不条理な状況の中で、その時は自分の理解できない、言葉にすらすることのできない事柄に対して、少し感情を自分で形をつけていくことができて初めて自分の思いであったり、自分の中で根づくものがあると思う。それを三十一文字で掬い、共有できることを大切にしている表現だからこそ、今もあり続けているのではないか。

短歌の程良い長さ。記憶の深追いをせず、無理をせず、その中で思い出した情景とかショックとかを一つずつそこに置ける短歌。歌の中に〝祈り〟と〝救い〟の役割がある。」

梶原さんは言います。

「その時にきちんと自分の言葉で伝えられなかった人や、これから生まれてくる人が、震災をどうとらえていくのかということに興味がある。」

最後に、ロバート・キャンベルさんは、次のように締め括りました。

「一人一人の表現が積み重なって広がっていく時に、〝災害の遺構〟のような立体物が立体的になってくると思うんですよ。これからも形は少しずつ変わると思うが、それを経験していないわれわれが読むことで心を共有したい。」

心を共有したいという言葉がなんとも力をもって伝わってきました。

番組の放送は、ここで終わりました。二十七分間の番組でしたが、一人一人の言葉や、汚れのついていない短歌の一つ一つにうなずきながら視聴した私には、とてもとても長い時間に感じられました。

震災当時、四歳や五歳、あるいは高校生だった人たちが、時間と自身の心の成長とを味方につけ、今やっと語ることができ始めたのだと分かりました。

彼女らの短歌は、手垢のついていない苗床の新芽のように美しい。心の底からの声を自分にぴったりの言葉を探して詠んでいます。技術や添削指導のないほうが、レアが保てるなと感じました。生の実体感ゆえのインパクトの強さ。

彼女たちの短歌は、これからどう変化していくのでしょうか。心と体に深く刻印された重いテーマが、時間と自身の成長の流れの中で、どうつながり、どう変容していくのか、私も興味あると思ったのです。

この番組はいろいろなことを考えさせてくれました。漫然と昨日の続きの今日をボーッとしながら詠んではいられないものを、高校生たちは私の心に吹き込んだのです。

宮城県で大震災を体験した私たちは、これからどう震災と向き合っていくのか、そのことも問い掛けられたように思ったのです。当時の記憶を掘り起こして目の前に展開して見せる事もあるでしょう。

あるいは、十年、十五年と年数を積む中での人々の復興への思いや、町、自然の変化を追うこともできるでしょう。

千年に一度という大震災、津波禍を生き延びた者として、忘れてはならないテーマだと思ったのです。

私には、心に刻まれている言葉があります。

「南三陸ホテル観洋」の女将、阿部憲子さんの言葉です。

「千年に一度の災害は、千年に一度の学びの場。この学びを伝えていくのは、学びの場に立ち会った者の責務です。

この経験を伝えずに同じあやまちを繰り返したら、この苦しみは何のためなんでしょうか。」

この苦しみは何のためなんでしょうかという強烈なメッセージは、ズドーンと心を衝いてきます。

苦しみから学んだことを後世に遺し、生かすこと。それをしないでは、浮かばれないという思いを共有したいと思いました。そして、自分の力の未熟さを感じつつも、私は次のように詠んだのです。

● 千年に一度の嘆きを舐めながら千年生くる歌を詠み得ず　　令和五年

3　プーチンとゼレンスキー

「私はこれまでの人生を尽くしてウクライナ国民を笑わせてきました。これからの先、私はウクライナ国民がもう泣かずにすむよう全力を尽くします。」（ゼレンスキー）

「国民をジェノサイドから解放するためにウクライナでの軍事作戦が必要です。」（プーチン）

同じスラブ民族なのに、その人間性は二つの極のように違うなと思います。

ロシアからの侵攻を受けて、ゼレンスキーは国民に呼びかけます。

「奴隷にはならない。それが我々の意志であり、運命です。」

これは、二〇二三年八月二十八日、バタフライエフェクト「プーチンとゼレンスキー、ロシアとウクライナの一〇〇年」という番組が放送され、その中での二人の言葉です。

ロシアとウクライナの、百年の歴史とは興味あるなと思い、視聴しました。特に、二人の言葉を中心にメモをとりました。メモしたことに従って印象に残った事柄を書き出します。

ロシアとウクライナには、百年の間に三回戦争があったとのこと。

一九一一年
キーウは小ロシアと呼ばれ、ロシア帝国の一部だとして、ウクライナ人はロシアとは異なる言語と文化を持ちながら国をもつことは許されなかったとのこと。
一九一四年〜一九一八年
第一次世界大戦がぼっ発。それから二年、ロマノフ王朝が市民により崩壊しました（二月革命）。この革命により、一九一七年、ウクライナでは独立の声が上がりました。キーウではウクライナ人民共和国と命名し、ロシアからの分離・独立を宣言したのです。
しかし独立は長く続かず、レーニンはウクライナの独立を認めず侵攻を開始しました。圧倒的な軍事力の前に、ウクライナは敗北します。
一九二二年
レーニンはロシアやウクライナなどから構成するソビエト連邦を設立します。
一九三二年
スターリンによりウクライナはロシアの集団農場への参加を強制させられたそうです。ヨーロッパの穀物庫と言われたウクライナはソビエトの最重要地域だったのです。
その後、ウクライナをホロドモールと呼ばれる大飢饉が襲い、四百万人が命を落としたとのことですが、スターリンは捏造だとして支援をしなかったといいます。
ウクライナではこのホロドモールの悲劇を語るのを禁じられていたとのことですが、ゼレンスキーは追悼します。

「これは何百万人ものウクライナ人の命を奪った非人道的な記憶です。私たちは忘れることも、許すこともできないでしょう。」

一九四一年
ウクライナは、ロシアとドイツとの戦争の戦場となりました。スターリンの圧政に苦しんでいたウクライナの市民の多くは、ナチスドイツを歓迎します。街の中からスターリンの肖像画は取り払われ、市民は「解放者ヒトラー」と叫び、「打倒スターリン」とも。ドイツと協力して共通の敵ロシアを打倒しようというぅねりが起こったその時の指導者は、ステパン・バンデラ（ウクライナ民族解放運動指導者）。ソ連打倒のあかつきに独立をめざしました。

しかし、ウクライナには当時二五〇万人のユダヤ人がおり、ドイツの破壊工作によりキーウは攻撃されます。ドイツはこの犯人をユダヤ人として処刑します。ウクライナからユダヤ人はいなくなったという。その数百五〇万人。

ゼレンスキーは虐殺を生き延びたユダヤ人の祖父をもちます。祖父の両親はナチスに殺害され、祖父の兄弟は前線で死亡しました。生き残ったのは祖父だけ。

一九四三年
ソ連軍の反撃によりドイツは敗退し、キーウはソ連軍の手に落ちました。

一九五九年

バンデラは第二次大戦後もソ連からの独立を求め戦いましたが、ＫＧＢによって暗殺されました。

プーチンは、バンデラを英雄視するウクライナを強く批難します。

「ヒトラーに協力したバンデラは民間人を撃ち殺し、その子分たちは市民を殺害していた。しかし、今や、バンデラは英雄視されている。したがって今の政権はネオナチと呼ぶにふさわしい。」

自分に都合のいいところだけを切りはりして、ネオナチのレッテルを貼り侵攻の名目にしていて、ずるいなと思いました。

フルシチョフの時代になりますと、友好の証として、クリミア半島をウクライナに譲渡しました。しかし、

二〇一四年

ロシアはクリミヤに突然侵攻し、一方的にロシアに併合します。

プーチンは言います。

「フルシチョフは、ウクライナの権力者の支持を得たかったのだ。」

ウクライナ東部は石炭資源が豊富で、開発が加速しロシア語が主流だったとのこと。ゼレンスキーはここに生まれ、ロシア語を話し、ウクライナ語は話せなかったと言います。

一九八六年

事件が起きて、ロシアとウクライナの関係は悪化。ウクライナのチェルノブイリ原発事故。大量の放射性物質でウクライナの大地は汚染しました。
それを契機にソ連からの独立のうねりが起こったのだそうです。
一九九一年
ウクライナで独立を問う国民投票が行われ、圧倒的な国民の支持のもと、ソ連からの独立という悲願を果たしたのです。七〇年の確執を越えてウクライナにウクライナの国旗がはためきました。
一九九九年
プーチンがロシアの首相の座につきます。
二〇〇〇年
プーチンは大統領に就任。大国ソビエトの国土を再び望むモンスターが世に出てきたのです。
二〇一九年
ゼレンスキー大統領の誕生です。そして、彼の言ったのが、このエッセイの冒頭の言葉です。
「これから先、私はウクライナ国民がもう泣かずにすむように全力を尽くします。それは、私の仕事ではなく使命なのです。」

二〇二二年

プーチンはレーニンがウクライナを一時的であれ国家と認めたことが間違いのもとだと考えています。

そして、二〇二二年二月二十四日、四度目となったロシアとウクライナの戦いは今も続いています。

ゼレンスキーがロシア市民に向けて呼びかけた言葉があります。

「私は、ロシアの市民に直接申し上げたい。大統領としてではなくウクライナ市民として。ここは私たちの土地です。何のために、誰と戦うのか。皆さんはウクライナの人柄を知り、国民性を理解し、ウクライナの価値観を知っている。私たちが何を大切にしているかも知っている筈だ。ウクライナ国民は自由の身なのです。我々は過去の歴史を見据え未来を築いています。」

プーチンもウクライナに向けて話します。

「私は、ウクライナの市民に訴える。今日おこっていることはウクライナ国民の利益を侵害しようという欲望から出てきたものではない。あなた方の父、祖父、曽祖父がナチスと戦い共通の祖国を守ったのはネオナチがウクライナの権力を掌握するためではありません。その犯罪的な命令に従ってはならない。」

ウクライナで幼少期を過ごし、ロシアで作家活動を続けたノーベル文学賞作家が言います。

アレクシェービッチ。二つの故郷同士の戦いを語る言葉が流れました。

「今も私の心の中に涙が溢れています。ウクライナの戦争は二十一世紀の最も恐ろしい犯罪として歴史に残るでしょう。

戦争はいつかは終わる筈です。でも、ウクライナの未来の世代はロシアの人々とどうやって話をするのでしょうか。救ってくれるのは愛だけ。憎しみでは救われません。どうやって一緒に生きていくのかを学ばなければなりません。でも、それはまだ遠い先のことなのです。」

人間の心はほとほと悲しい。

大国の軍事力と圧倒的な兵力で武装し、ワグネルという戦争請負会社に世界から金で兵士を集め、小国を呑み込もうと魔の手を拡げ侵攻するロシア。

人間の透明な魂で民族の不屈の団結を呼びかけ不条理な侵攻から祖国を守ろうとするウクライナ。

ゼレンスキーの言葉が聞こえます。

「私たちは、奴隷にはならない。それが我々の意志であり運命です。ロシアよ、私の国から出て行け。」

私は思います。私ならどっちの国に住みたい？ロシアには一日たりとも住みたくはありません。人権も人間性もなく、抗らえば殺される国は受け入れることができないのです。

ウクライナなら、その大地にウクライナの人々と一緒にヒマワリの種を蒔き育てたいと思います。きっと、温かく育つでしょう。

ヒマワリの花言葉は「自由と平等」です。そこにこそ、私たち人間は呼吸ができ、眠れると思うのです。

私はその思いを、次のように詠みました。

●ひまわりの花のなかにて眠りたし自由と平等その中にこそ

令和五年

4 「キーウ、子供たちの冬」を視聴して

NHKスペシャル「キーウ、子供たちの冬」（令和五年二月十八日）を視聴しました。国の存亡がかかる程の戦時下において、学校はどんな役割を果たし、どのような教育内容が展開されているかを知りたいと思いました。日本の戦争の時代に学校は軍の手先のようだったと思う私にとって、そこが知りたいと思ったのです。

六歳から十七歳（日本の小学校、中学校、高校に該当する年齢）が通うキーウの公立学校の四ヶ月の記録が放送されました。私は耳をそばだて、放送された内容を必死にメモしたのです。

一、追いつめられる学校

ロシア軍は、インフラ設備を集中的に攻撃するようになったといいます。氷点下の寒さの中、しばしば停電となります。一年に六〇〇回の空襲警報、シェルターへの避難、高まる恐怖と緊張、暗闇の中で子供たちは息をひそめます。

校長先生は言います。

「これでは、勉強も全くできません。この生活がいつまで続くのかと落ち込みます。私たちの体力、精神力、・道徳心はあとどれくらい残っているのだろう。」

キーウの公立小学校には、戦場と化したウクライナの各地から転校生が来るとのことでした。命からがらに避難して来た子供たち。彼らの心はどうなっているのでしょう。そして彼らを迎える学校の対応は？

教師たちは語り合います。

「戦時下の子供たちにどう向き合えばいいのか悩みます。子供たちを戦争から遠ざけるだけでいいのか。このような状況下では普通の授業だけでいいとも思えません。

子供の心を成長させなくてはなりません。子供たちはスポンジのように喜びも悲しみも吸収してしまいます。子供たちの魂に何を残してあげたらいいのでしょう。」

子供たちの実態を見ると、ロシアへの憎悪を激しく語る子、無表情に自分の殻にとじこもってしまった子、神経質になってしまった子など、何らかの問題を抱えています。

そして、教師たちは言うのです。

「戦争だけが戦争ではない。」

この言葉の意味は何でしょう。私はいよいよ耳をそばだてました。

二、授業① 〝自然〟

小学クラスの教師が立ちあがります。

「私は〝自然〟について語り合ってみたい。戦場の写真とかは小さい子にはショックが大きすぎるので。親が戦場に行っている子もいます。とてもきつい気持ちを話してもらえるかどうかは分からない。戦争に巻き込まれているのは教師も同じ。私の家族も兵士として戦場に赴いています。心配でノイローゼになりそうです。本当は誰もこのような経験をすべきではないのです。」

彼女は〝自然〟をテーマに授業を展開していきます。
T 〝自然〟って、何かわかる?
C キノコ C 動物 C 木
T では、そうした自然は今大きな問題に巻き込まれていますね。どんな問題か分かりますか？

C　火です。今は全部燃えちゃってとても大変です。

T　じゃあ、なんで燃えているの？

C　戦争だから（口々に同じことを言う）

T　では、皆さんのことを考えてみましょう。外国へ避難した子もいたよね。

C　ぼくは戦争が始まった次の日の夜中に脱出しました。

C　私は、犬と猫とハムスターをつれて逃げたわ。

C　私はブチャの話をしたい。ブチャにおじいちゃんとおばあちゃんが住んでいて大変だったの。ミサイルが命中して家が壊されてしまったの。もう一回あの家に行きたかった。（泣きながら話す）

T　だんだん良くなってきてるよね。もっともっと良くなるわ。

C　ハルキウにいた時ミサイルが飛んできて地下に隠れたんだ。でもぼくは吐いてしまった。

T　そうね、体が反応しちゃうこともあるよね。

C　その時、パパとママはおばあちゃんの家に行くと言い出したの。家に犬と猫を残して行くしかなかったんだ。

T　大変だったわね。自分の命が一番大事だからね。みんな、ありがとう。よく頑張ったね。偉かったよ。


子供たちの手は次々に挙がり、話は終わらないのです。授業後、この教師は語ります。

「こうして話し合うことは大切だと感じました。みんな本当は自分が経験したことを語りたいのです。話すことで、自分だけがこうじゃないんだ。みんな同じ船に乗っているんだと分かるのです。自分に罪はないのだと。」

授業② 〝戦争〟（高学年クラス）

T 父親が兵士として戦っている人もいますよね。この授業ではお父さんたちにメッセージを伝えてみませんか？

C 私はお母さんと一緒にポーランドに行きました。お父さんは残って軍に入隊しました。その前（泣き崩れる）

T あなたのお父さんは英雄です。（側に寄る教師。肩を抱くクラスメイト。）

あなたのお父さんは絶対に帰ってくるから大丈夫。落ち着いて。話せないならそれでいいのよ。ごめんなさいね。

大丈夫よ、みんなあなたのつらさを理解しているわ。

みんなも、クラスメイトをどう支えるかを一緒に考えましょう。

C　僕の父は戦争で重傷を負い、なんとか一命をとりとめ、今、また最前線で戦っています。僕たちはロシアの占領者たちと戦う義務があるのです。僕は卒業したらウクライナ軍に入ります。悲しみと強い憎しみを感じていますから。

T　皆さんに課題です。皆さんには法律家になってもらいます。ヘルソンでは十歳から十三歳の子供たちが拷問にかけられていました。皆さんはこの罪をどう裁きますか。グループで議論を始めてください。

T　あなたのグループから発表して下さい。許せますか？

C　許せません。

T　なぜですか？

C　許したら、また同じことをするからです。

C　決して許してはならないと思います。ロシア人は私たちに大きな苦痛を与えた殺人者だからです。

T　では、あなたたちがロシアの弁護士になったとします。ロシアの味方をしてください。

C　そんなこと考えたくもありません。許すことはできません。

T　では質問を変えます。ロシアとウクライナは停戦交渉を始めるべきですか？

C　いいえ、いいえ。

C　やつらと交渉なんてしても意味がない。

C　そうよ、攻撃が止む保障はないわ。ロシア人の本性を知るべきです。

T　でも、一つだけ言わせてください。
遅かれ早かれ、全ての戦争は終わります。百年戦争だって終わったのです。あなたたちはロシアを正当化できないと断言しました。もちろん、私も許せません。それが人の命に対する責任です。

私たちに必要なのは何だと思いますか？

C　勇気。

C　思いやり。

C　自由を愛する心。

C　助け合い。

C　責任感。

T　そして、私たちは「許す強さ」を手に入れることができるでしょうか。

C　………。

T　授業はここまで。またやりましょう。

卒業したら軍に入隊すると話した生徒は、夜、学校で話したことを母親に話します。母親は嘆きます。

「息子はロシアに対する憎しみで頭がいっぱいです。子供時代を失ってしまいました。」

また、マウリポリから来た少女が言います。彼女は感情を無くしたように無表情です。彼女の名はヴェロニカ。

マウリポリはロシア軍に包囲され多くの人が死亡しました。彼女は言います。

「一ヶ月、地下に隠れていました。一歩も出られません。凍える寒さと銃声。外はミサイルが飛び交っていました。半年前、命からがらキーウに逃げてきました。キーウのアパートに住んでいます。

これはマウリポリの地下に閉じ込められていた時に書き始めた日記です。何が起こったのかを後世に伝えたいと思い書いたのです。」

彼女は、日記を読み始めます。

「朝、窓から炎が見え、耳をつんざく音が聞こえ恐怖にかられた。どうしたらいいか頭が回らなかった。飛行機がミサイルと爆弾を次々と落としてくる。恐怖と不安におびえる日々になってしまった。

この街は廃墟と灰しか残らないにちがいない。感情を捨てよう。感情を捨ててドブネズミのように地下で暮らせばいいんだ。だんだん悲しみや怒りを感じなくなってきた。爆撃の音も、もう気にならなくなってきた。」

ヴェロニカが無表情になったのは、自分を守るためだったのです。

夜、ヴェロニカは学校の授業のことを両親に話します。

父親は言います。

「それはショックな話だな。なぜロシアを憎んではいけないんだ？健全な憎悪だ。」

「先生たちは私たちに、ロシアのことで感情的になるなとなだめてくるの。」

母親が言います。

「そんなの、理由ははっきりしている。キーウにいた人たちには何も被害がなかったからよ。」

「言葉で聞くのと実際の経験とは違うものだ。一度でもその臭いを嗅いで、自分の目で見たら、その感覚は一生忘れない。言葉なんて無意味だ。こんな話は止めよう。」


しかし、生徒たちは、戦争をテーマにした授業をこれからも続けてほしいと教師たちに訴えているとのこと。

教師たちは言います。

「今回の授業が、少しでも救いになってくれればいいのですが。」

「子供たちは今、決してロシアを許していません。でも、子供たちはこの話し合いをもっと続けたいと言っています。子供たちが現実に向き合い発言すること、これが今一番大切なことです。」

「テーマはきついけど、この授業は必要だと思います。心の中で何かを抱えている時は、それを言葉にしなくてはいけません。そうでないと人格が歪み、心が傷みます。語り合ってみれば皆同じような経験をしているのだと分かります。自分一人特別に不幸なのだと悲観せずに済みます。憎しみは自分を滅ぼします。」

戦場で戦い負傷して病院にいる父親と少年は電話で話します。

少年「パパ、聞いていいかな。パパが戦っているのは敵に対する憎しみからでしょう?」

父「ロシア人?」

少年「うん。彼らに対する憎しみをどう考えているの?」

父「答えは簡単ではないな。これだけは言える。戦争は人を殺すためではなく、国土を守るため。私は、お前たちに戦争を見せたくないから戦っている。それだけだ。ロシア人を憎んでいるわけではない。ロシア人にも良い人たちはいる。いろんな人がいるからね。」

少年「でも、良い人が別の国に来てこんな戦争を起こすなんてあり得ないじゃないか。」

父「戦争とは、こういうもんだ。」

少年「パパは僕に戦争に行ってほしくないんだろう? ロシア人を憎まないなんてできないよ。」

母　「憎しみを乗り越えなきゃ。憎しみはあなた自身を滅ぼすわ。」
少年「だから、ロシア人を愛せって言うの？」
母　「いいえ。でも、あなたの憎しみと普通のロシア人とは関係ありません。彼らにも
　　生活があるのよ。」
少年「僕はロシア人を痛めつける。」
母　「どうやって痛めつけるの？　その前にあなたは自分を痛めつけているわ。」

一ヶ月の冬休みになりました。宿題がありました。絵や作文を書いて、戦争の今、自分にできることなどを考えるのです。

一ヶ月の冬休みが終わりました。子供たちは皆、嬉しそうな笑顔で登校してきました。どんな宿題をしてきたのでしょう。

あるクラスは、「戦争が終わった後の絵」が宿題でした。

C　ウクライナと虹の絵です。戦争が終わったら空には飛行機やミサイルでなく虹が架かるという意味です。

C　僕は戦争に勝った瞬間を描きました。有名な歌手がコンサートをするんです。

C　これは戦争で壊れた建物。その隣りは平和な時の建物です。
C　ウクライナ国旗を描きました。
T　戦争中に絵や文章を残すことがなぜ大切なのか分かりますか?
C　何が起きたのかを未来に伝えるためです。

八年生のクラスの宿題は「作文」でした。

戦場で負傷した父親と電話で話した少年の作文は、次のようでした。

「僕はロシア人が大嫌いです。でも、戦地にいるお父さんから『ロシアにも良い人がいる』と言われました。お母さんからも『憎しみは自分自身をこわしてしまう』と言われました。僕にはコントロールできないたくさんの感情があります。でも、お父さんとお母さんは僕をポジティブな方へ導こうとしています。憎しみだけでなく、希望を見つけられるようになりたいです。」


この番組で流された言葉の、なんと深く、重く尊厳に満ちていることでしょう。私の心に幾つもの言葉が刻まれました。

「戦争は人を殺すためでなく、国土を守ること」

「子供たちに戦争を見せたくないから親たちは戦場で戦う」

「絵や文章を書く意味、それは何が起きたかを未来に伝えるため」
「憎しみは子供たちの人格を歪めるとして、ポジティブな方へ導き、憎しみは遠ざけ希望を抱かせようと努力する先生や親たち」

答えをすぐには導き出せない現実があります。頭で答えを出すのではなく心や体を通してゆっくりと、じっくりと導き出そうとする人々の姿。一生をかけて考えていくテーマ。一生をかけても辿りつけないテーマが、今、戦場の国で語られています。そのテーマは、人類に向かって問いかけられているようです。

無表情だったヴェロニカは言います。

「私は、もう大丈夫です。今、私たちはこうして生きています。私たちにとって戦争は、もう平凡な日常なんです。ですから、深刻にでなくシンプルに受け止めたいと思うようになりました。」

ヴェロニカの日記には、次のように綴られました。

「一月二十九日、この日記を書き始めてから、ほぼ一年が経ちます。戦争への考えやロシア人への憎しみは変わらないけど、私は立ち直ってきています。十年後、どうなるかは分かりません。でも、夢はあります。一番目は、安定した仕事に就くこと。二番目は、両親の幸せと平和です。

両親は戦争前と変わらない愛情をくれます。戦争は、家族の愛までは奪えなかった。これからすべてが良くなることを信じています。」

私は思いました。キーウの公立学校は国から強権的に教育内容を限定されてはいない。日本の戦時中とは大違いだな。ロシアへの憎悪を煽って戦場へ送り出すために教育が悪用されていないとは、何と健全なことでしょう。

教師も親も、子供たちの人格を歪ませたり心に傷を負わせたりしないように何が今できるのかと苦悩し、手探りで実践しています。このことが冒頭の「戦争だけが戦争ではない」の意味だったのでしょう。

ロシアからの侵攻一年が経過しても、戦争は下火になりません。再び、東部を中心にロシアによる大規模攻撃が始まっています。

子供たちの笑顔を守るため、私たちは、世界は何ができるのでしょう。

私は日本国にいて、戦場から遠いところで生活をしています。

しかし、いつウクライナのような戦場になるか分からないという不安は強くあります。戦場となる前に自分の寿命は尽きたとしても、子や孫の生きる世はどうでしょう。他人事ではありません。

この番組を視聴して思いました。「人類は、地球という同じ船に乗っている。誰もが命に対して責任を持っている。」

領土争いに狂っている為政者たちよ。どうぞこのことに目を覚まして下さいと祈らずにはいられません。祈ることしか出来ませんが、ウクライナや、不条理に苦しんでいる世界の人々と心を共有したいと思うのです。

戦時下の教育のあり方の一つの理想像を見た思いに私の心は感動し、次のように詠みました。

● 教育が政治洗脳に使われざる健全さありウクライナには　令和五年

5　北帰行

三月、北帰行の季節となりました。私は、子供時代を過ごした栗原市金成の三月の空を思い浮かべました。

近くには伊豆沼があり、多くの野鳥が越冬します。そして三月になると、北へと帰っていきます。

私はその光景を眺めて育ちました。北帰行はふるさとの早春の姿として心に刻まれています。

今年も栗駒山が残雪まばゆくどっしりと構え、まだ田起しの始まっていない金成耕土の上を、いくつもの編隊が一心に帰っていきます。私は網膜に焼き付けるように凝視し、編隊が点となり、やがて見えなくなるまで見送ります。

●残雪の白より白く網膜に焼印をおし編隊は行く

私の心の光景は全て盛りこみましたが、何か、抒情性が薄くて気に入りません。

「網膜に焼印をおし」は強い表現で、どぎつさがあります。「焼印」では体も心も痛みます。この表現は違うなと思いました。

白鳥たちは、シベリアへ一心に帰っていきます。「シベリア」という具体を入れてみました。

「まほら」は自然と浮かんだ語です。

●シベリアはまほらの国か残雪の峰を越えゆく白き編隊

強い表現はなくてどぎつさは消えましたが、独自性のない一首だなと思いました。こういうふうには多くの人が詠んでいます。類型の域を出ません。

手垢のついていない一首を開拓しなければ意味がありません。自分の短歌と言えるにはどう工夫したらいいのでしょう。何日も考えました。温かい国には住めない習性に従い、白鳥たちはその翼だけを頼りにシベリアまで帰るのです。仙台からシベリアまでは三八一五キロメートル。二週間かかるといいます。その間に休憩をし、食事もすることでしょう。危険な目に遇うかもしれません。それでも白鳥たちは帰るのです。白鳥たちのめざすシベリアが、安心で幸せな地であってほしいと思いました。そうしたら、二句目がするっと変化しました。

「まほらにあれよ」

私の祈りの思いがこもったのです。

白い一本の糸のように飛びゆく白鳥の姿が、なんとも名残惜しいのです。白い姿は今年最後の名残の雪のようだなと思いました。名残惜しさと名残雪とを一つにして表現したいと思いました。

●シベリアはまほらにあれよ帰りゆく名残の雪のような編隊

「まほら」は、「すぐれた良い所・国」という意味で、私としては、白鳥たちにとって安全で幸福な地という意味に使いました。しかし、この語も手垢がついているかもしれません。語としては大和言葉で美しいのですが、少し古臭さが漂います。古くさいと感じたら現代に生きて作る短歌としては致命傷になりましょう。そこも考慮しなければなりません。短歌を作らない二人の友にこの一首を見せましたら、二人から「まほらって、何?」

と、きょとんとされました。そこで、意味は同じで違う語はないかと考えました。

「幸く」は副詞で、「さいわいに、無事に」の意味の語です。
万葉集巻第一に、この語があります。
三十　楽波の志賀の辛崎幸くあれど大宮人の舟待ちかねつ
柿本人麻呂
同じく、万葉集巻第二の次の和歌にもあります。
一四一　磐代の浜松が枝を引き結びま幸くあらばまたかへり見む
有間皇子
他にもあります。万葉集巻第三
二八八　我が命ま幸くあらばまたも見む志賀の大津に寄する白波
穂積老
四四三　(長歌の中に)平けくま幸くませと
大伴三中
私は万葉集を読み、「ま幸」という語が心に刻まれていました。
「幸くある」は使えるなと思いました。そして、「ま幸くあれよ」としました。
平凡ですが古くさいよりはいいかなと思いました。

● シベリアはま幸くあれよ帰りゆく名残の雪のような編隊
令和五年三月

美しくていい大和言葉があっても安易に使うと短歌の雰囲気が古くさくなるきらいがあります。現代人としては、それにも配慮しなければなりません。言葉選びは難しいです。あれこれ考えているうちにテーマから離れてしまうこともあります。一つ一つの語ではなく、一首全体からテーマに迫る語を最終的に決めていきました。

6　冬のアンソロジー〈冬を拡げる〉

地中海の本社から執筆依頼が来ました。結社誌「地中海」では、春のアンソロジー、夏のアンソロジー、秋のアンソロジー、冬のアンソロジーを取り上げて載せています。私の依頼されたのは、「冬のアンソロジー」として、令和五年十二月号に載るとのこと。取り上げる短歌の数は十首で、地中海の作品二首を入れること。一行が十九字で四段組みというものでした。

断る理由はありません。私は承諾しました。

「冬」というテーマをどう受け止めて展開したらいいのでしょう。冬の短歌だけを拾い集めて指定のページを埋める方法はあります。

私は、「冬」の意味を、自然（四季）の冬だけではなくて、いろいろに拡大して展開してみたいと思いました。

そこで、「自然の冬」を歌った歌を五首。「社会の冬」として、戦争の歌一首。大震災の歌を一首。コロナ禍の歌一首。「個人にも冬はある」として、差別に苦しむ癩患者の歌を一首。非正規雇用に苦しむ若者の歌一首を選びました。

そして、副題を〈冬を拡げる〉としたのです。

その文章は、「地中海」令和五年十二月号に載りました。以下が、その文章です。

※　※　※　※　※

○　晴れ曇り時雨は定めなきものをふりはてぬるはわが身なりけり

「新古今和歌集第六　五八六」　道因法師

作者の感慨は下の句にあり冬の寒々しい思いが籠もる。「時雨は降り続けるわけではないが、わが身はひたすら古び老いてしまったなあ。」と、時雨とわが身を対比させながら詠嘆へと思いを深めている。

この歌の本歌は「神無月降りみ降らずみ定めなき時雨ぞ冬の初めなりける」（後撰・冬・読人しらず）であり、どちらも味わい深い。二つの和歌の醸し出す趣が重層的に読者に手渡される。新古今の手法である。

○　しづけさは斯くのごとくか冬の夜のわれをめぐれる空気の音す『白き山』斎藤　茂吉

この歌は、昭和二一年、山形県大石田での作。『白き山』の冒頭の「みそさざい」と小題のある五首の中の一首。茂吉にとって大石田は金瓶に次ぐ第二の疎開地で雪が深い。キンキンと張り詰めて底冷えする身辺の空気を感性鋭く詠んでいる。雪が真綿のように音を吸収する静寂の中で茂吉が見つめていたのは、風土の厳しさだけではないような気がする。心の傷は癒えたのか。茂吉の人生を思うと感慨深い。

○ 募りくる吹雪のなかに辛うじて見ゆる樹氷はしろき幻　『蔵王』　秋葉　四郎

作者は、師佐藤佐太郎を通して茂吉に憧れ山形に通い続ける。実体験により掴んだ雄渾な情景。蔵王山の樹氷原はまさにこのとおりである。「しろき幻」は茂吉の「白き山」とイメージが重なり味わい深い。

○ なにゆえのこの衰えの哀しさよみちのくは常に奪わるるのみに
「地中海二一一年八月号」　佐久間　晟

一首を包む雰囲気は冬。老身から奪われていく活力をみちのくの歴史へと拡げている。みちのくは、律令時代から中央政権との間に長い忍従の歴史がある。それに対して憤る思いが胸奥に熾火のように燃えていたのではないか。九六歳の気概が見える。

○ 樹には樹の人には人の命あり冬はつましく清しく生きる
「地中海二二一年二月号」　滝田　靖子

冬の裸木と断捨離の思いで冬を遣り過ごす作者とに共通する「清しく生きる」。

樹も人も余分なものを削ぎ落として冬を生きるという独自の主題に惹きつけられた。

○　装甲車に肉薄し来る敵兵の叫びの中に若き声あり

『山西省』　宮　柊二

社会の冬としての戦争の歌。作者は四年間中国の前線にいた。太平洋戦争での日本の死者は三一〇万人。外地や内地の一般邦人も犠牲に。政治により戦場となる世は、冬の時代そのものではないだろうか。

○　いちめんに花コスモスの咲きたれどあの子もあの子も帰ってこない

「宮城県合同歌集あをばの杜」　大和　昭彦

石巻市在住の作者は、東日本大震災の語り部のように今も鎮魂の歌を詠み続ける。自然は再生するが失われた人間の命は帰らないという主題は詠み尽きることはないのだろう。三陸地方の私たちは癒えることのない震災の冬の切なさを抱えて生きている。

○　コロナ禍の齎したまふひとつにて心療内科混み合ひにけり

「続コロナ禍歌集」　三川　博

作者は、青森県に住む歌人で精神科医。コロナ禍により心を病む人が増えたと発信する。

世界を震撼させたパンデミックの冬はまだ終息せず、皆がそれと闘っている。

○ 雲母(きらら)ひかる大学病院の門を出でて癩(かたゐ)の我の何処(いづく)に行けとか　『白描』　明石　海人

個人にも冬がある。最も顕著なのは社会的差別。二七歳で癩と診断された驚愕と落胆。特効薬のプロミンが開発されるまで不治の病、国辱病と言われ激しい差別。癩の宣告は社会から放逐されるに等しかった時代。大学病院の門に象徴される雲母光る世は、作者には遠く隔たる世であり、自分には居場所がないという悲痛が伝わる。

○ 頭を下げて頭を下げて牛丼を食べて頭を下げて暮れゆく　『滑走路』　萩原慎一郎

政治が生み出した非正規雇用という冬。作者は、その不本意な現実に苦しみ三二歳で自死した。「頭を下げて」と三回も繰り返される衝撃の表現。表現は技巧ではなくて心の叫びだとつくづく思う。

夢を描けなくなった非正規雇用は今も続いている。政治家を選ぶのは有権者の私たちであり、無関係ではない。

※　※　※　※

以上が、私の執筆した文章でした。限られた字数で十首を収めることは、少し表現しきれない思いもありますが、こういう仕事は楽しいものです。

自由勝手に「冬を拡大解釈」したことが、編集の意図に添うかどうかという問題はありますが、思うように書かせてもらいました。

7　くの字の氷柱

令和五年になって、記録的寒波が日本列島をすっぽりと包み居すわっています。仙台で初めて最低気温がマイナス八度を記録。息子のマンションは、屋上の貯水タンクへの水道管が損傷し、二日間の断水と、その後も水流の不安定が続き難儀したとのこと。歩道は厚い氷の層に覆われて、実に歩行困難です。私は、暖かい温泉を求めて弟たちと栗駒山のハイルザームという温泉施設へ行きました。ハイルザームは耕英にあります。ここには入植、開墾集落があり、県下でも最低気温を記録します。

栗駒山は宮城・岩手・秋田三県の県境にある二重式火山です。標高一六二七メートル。四季を通じて美しい自然の宝庫。中腹から山麓にかけて栗駒五湯など温泉が多く、県民の憩いの湯宿があります。私にとってはふるさとの山です。

楽しみの目的はいろいろあります。

姉弟との語らい、あったかい温泉、おいしい食事、暖房のきいた部屋で体をのびのびと休ませる、真冬の栗駒山の雪景色、などなど。二月の栗駒山の積雪を見に行こうと姉弟と意見が一致しました。石巻から弟の自家用車一台に五人が乗り、北を目指しました。私はわくわくする思いを次のように詠みました。

● 丈を越す雪の回廊いかほどとときめく先に白き山あり　　令和五年

思いの外に雪の少ない栗原地区に驚きながら、道は山岳ルートへと入ります。しっかりと除雪されています。雪の回廊を期待していた私たちは少々拍子抜けしました。積雪が一メートルもないのです。しかし、風もなく、裸木の枝々に真っ白な雪をいただき、シンとした静寂が満ちています。美しいと思いました。

ハイルザームの温泉施設に宿泊するのは三度目です。昨年の五月と六月に来て、新緑の世界谷地の木道を歩きました。

厳冬の栗駒山は、荒々しい地吹雪の世界かと思っていたのですが、令和五年二月三日、四日、五日は、実に穏やかな山でした。

温泉は室内だけで、露天風呂は雪と氷にすっぽりと埋まっています。風呂場の窓にはつららというよりは滝のように屋根から長い長い氷塊がびっしりと張り付いています。氷の洞窟のようです。

朝になりました。冬の山岳地帯とは思えぬ程に晴れわたりました。太陽が雪に乱反射して実に美しいのです。

食堂に降りて行きました。食堂は一階にあります。屋根からつららがびっしりと並び、きっ先が鋭くとがっています。長いつらら、短いつららと様々ですが、あることに気がつきました。どのつららもくの字に曲がって伸びているのです。私は、くの字に湾曲したつららに目を見張りました。これは山頂からの地吹雪を受けたためでしょう。風がどこから吹き下り、どこへ吹き渡っていったかが手に取るように分かるのです。

私はなんとかこのくの字のつららを短歌に詠みたいと思いました。

●きさらぎの山荘の窓地吹雪の腕に氷柱はくの字に曲がる　令和五年
●滝のごと氷柱が窓を埋めつくす氷細工の宿に起き臥す　〃

令和五年二月、厳冬の栗駒山のふところ深く私の心は満たされていました。

8　対称的な二つを並列して

佐藤佐太郎は、人が詠まない歌の材料を求めて、いろいろな土地を訪問したそうです。

知床半島では流氷を、宮城県金華山では島に寄せる波の姿を、また、岩手県の龍泉洞にも足を運び、秀歌と言われる作品を多く詠みました。

今日は龍泉洞の短歌を学習したいと思います。

○ 地底湖にしたたる滴かすかにて一瞬の音一却(ごう)の音　　佐藤佐太郎

佐太郎の弟子である尾崎左永子氏の著書『佐太郎秀歌私見』より論文を抜粋します。本の六十三ページに、この「一瞬の音一却の音」の短歌がありました。

『龍泉洞で得た水滴の一首
瞬間と永劫という「時間」の極限の在りようを、感性的にキャッチする。それを表現するのに対照的な二つを並列することで無限の深さを表出する。

これは短詩型ゆえに生み出されたすぐれた技法の一つと言えるのではないか。佐太郎の表現上の技法として、一方的な視野でなく、表と裏、実と虚，遠と近、一瞬と永遠というような二元的な要素を意識的に取り入れているように見える。

弁証法上の、いわゆる「正・反・合」の法則に合致している視点なのである。』

厳しい論文と思います。私には充分に咀嚼できるわけではありません。しかし、表現上の一つの技法として、対称的な二つの具体を並列しながら深い世界を構築していくということは少し理解できたように思います。私もそのように意識して作品をつくりたいと思いました。

私は母と龍泉洞に行ったことがあります。三回行ったと記憶します。佐太郎の短歌に触発されるように、その記憶が蘇りました。

そして、あの暗く深い洞窟の中で見た青い地底湖が目に浮かんできたのです。そして、次のように詠みました。

● 地底湖にとどく一滴昼夜の区なき太古の水ととけ合う　　令和五年

今現在生まれる水滴と、太古からある地底湖の水とを二つ登場させ、それは、暗い闇の中で溶け合い、また、長い歳月を地底に存在し続けるのだろうという長い長い時間の畳まれる姿を一首に詠みたかったのです。

「一瞬の音一却の音」のような深い切れ味はなく、佐太郎の真似のような一首ですが、意識して実践を積み重ねていく中から、やがて、独自の世界をつかみとっていけたらいいなと思います。

苦悩したのは結句です。「水にとけ合う」か「水ととけ合う」かと。その時に受けた印象をじっくりと思い返しました。今生まれた新しい水滴と太古からの水とが互いに呼び合うように引き合うように一つになったような気がしたのです。その感じを出すには「と」です。「に」では互いに呼び合う吸引力は生まれません。

声に出して唱えた時、「とと」と続き少しうるさいかもしれませんが、私がその時に感じたことの方をより優先させたいと思い「と」を選びました。

また、次のような一首も詠みました。

● 物事は多面に観よと子に語る裏も表もある実相を　　令和五年

物事には表に出ずに隠されている裏が必ずあるから、慎重に考えなさいということを詠みたかったのです。

なかなかくっきりとした「対照的な二つの並列」にはなりませんが、意識して詠み続けていきたいと思うのです。

9　手引書

私は秋葉四郎氏の短歌に心惹かれます。

彼の短歌を書き出してみましょう。

○ いしぶみは過去の記念と言ふなかれここよりわれの未来始まる　　秋葉　四郎

○ 峡ふかく立ついしぶみはやうやくに老いに入るべきわれを鞭打つ　　〃

○ いくつかの転機をそれとなく越えてつひに生の余われの場合も　　〃

○ 今年また鳥海山にまみえ立つ合歓の莢実の黄に熟るるとき　　〃

○かへりみることのなかりし鼠黐むらさきの実が降る雪に輝る　〃
○たとふれば退路みづから絶ちながらただに進みき過ぎしわが日々　〃
○わが過去に無く暖かき冬つづくおほよその人相嘆きつつ　〃

秋葉四郎氏の短歌には人生の哀感があり、それが切なく私の心に響くのです。文学博士で「歩道」を導き、斎藤茂吉記念館の館長を務める輝かしい業績を挙げている秋葉氏が、偉ぶることなく実に率直に自分の思いを曝け出していて、それがなんとも魅力的なのです。

秋葉氏の短歌で私の好きな作品はまだ多くあります。

○人の世に遊びのあるは救ひゆえ昼より逡巡せず酒を飲む　秋葉　四郎
○力なき夕日が蔵王のかたはらに見えつつ一切の音遠くなる　〃
○葛の花咲く村道に立ち止まり涙のごとき悔にわが耐ふ　〃
○言つつしみて現実は打ちくだかれて赤き夕映えの山にいち日浸る　〃
○風絶えずあれば伸び得ぬ枝ゆれて川辺のポプラみな幹太し　〃
○中天の月のひかりに花片のいくつか見えて庭に梅の香　〃

秋葉氏は佐藤佐太郎の直弟子です。会ったことはないと言いつつ斎藤茂吉の孫弟子として茂吉を心から敬愛しています。その思いは、秋葉氏の著書を読めば実に鮮明に伝わってきます。温かくて、私はそこに憩いの思いを得ます。

師弟愛とは実に美しいと感じます。

秋葉氏は、茂吉を慕い歌集『蔵王』を編みました。ドイツへも足を運び、茂吉の足跡をたどったとのことです。

相当の心酔です。

夢中に慕う師がいることは幸いです。少しでも師の力量に近づき、少しでも師を越えたいという思いが湧くのではないでしょうか。そこに、表現の尽きることのない泉があるのではないでしょうか。

秋葉氏は酒好きと言います。酒乱にならない酒好きの男性は好きでもあります。

私はハイボール一杯程度しか飲めませんが、一緒に飲みたいと思う男性かもしれません。

少年のようなくりっとした眼もいいですね。

秋葉氏は、ずいぶん昔に仙台で開催された日本歌人クラブの東北短歌大会に三枝氏と来仙されました。

また、令和四年の五月に上山市で斎藤茂吉記念短歌全国大会が催されました時、私は会場の遠くから氏のお姿を拝していました。

氏の短歌に登場する「いしぶみ」は、茂吉の歌碑でしょうか。

私は今、短歌の手引書として秋葉氏の著書を何冊か読んでいます。中でも『大人の短歌入門』『人間茂吉』『短歌入門―実作ポイント助言―』は手渡せません。秋葉氏の優しい語りかけるような文章が心地よいのです。

歌作りに悩む時は、彼の著書を読むと慰められ落ち着きます。秋葉氏は今八十五歳でしょうか。私より九歳上。たった九歳しか年齢は違わないのですが、山を仰ぐ思いがします。私は、彼の著書を読み、具体を入れて一首にすることを心掛けるようになりました。情に溺れるのではなく感動した事実を具体的描写により客観的に表現することを学びました。また、感情を抑えた短歌も詠むようになりました。そうしたら、短歌づくりが少し楽になりました。

最近の私の作品です。

● 朝のひかり段段畑に及びきてりんごは赤き輪郭を増す　令和四年

これは令和四年十一月十九日に穴原温泉のホテルの客室から眺めた風景です。

これからも手引書を胸に、短歌の世界を楽しみたいと思います。

10　一年じゅう赤き薔薇さく家ありて

いつも通る露地があります。百メートル位の短い露地ですが、私の好きなスポットです。

なぜなら、そこに、一年じゅう赤い薔薇の咲く家があるからです。

一メートル位の幅の門があり、そこにアーチ型に薔薇を這わせています。年に二回、植木屋さんが手入れをしています。四季薔薇なのでしょうか。冬でも花をつけます。

わたしは往きも帰りも、そこに佇み眺めます。

薔薇だけではありません。雪柳、紫式部、秋明菊、水仙、つつじ、たくさんの草花が、その家の東側の小さな空間にひしめいています。この家には、どんな人が住んでいるのでしょうか。

私は、小雪のちらつく中に咲いている赤い薔薇に心が惹きつけられます。私の詩心が動くのです。

●一年じゅう赤き薔薇さく家ありて行きも帰りも詩作をさそう

上の句はすらっと出ました。しかし、下の句は当り前すぎて、おもしろくも感動する思いも籠もりません。一首に詩情の訴えるものが希薄なのです。すなわち、ぜひともこういう思いを籠めたいという激しく身を揺さぶるテーマをまだ掘り下げていないなと思いました。まだ歌の生まれようとする入口の所に立っているだけだと思ったのです。どんな詩作かを具体的に表現しなければ一首に力は生まれません。私の歌のテーマは何でしょう。

私は、この町に住むようになり俯き歩む癖がついてしまいました。もちろん体の老化による体力の衰退のせいもありましょう。

それだけではないのです。五年目に入る歳月をこの地に暮らして知人が増えないのです。まだ、私の町という親しみが湧き上がってこないのです。なぜでしょう。その地に根を下ろしていないような距離感が、さびさびと心の底に風のように吹きわたっているのです。この土地に手応えとなる必然が私にはないのです。

生まれ育った地ではありません。子を育て義父母を看取った地でもありません。風のように私はここに住み始めました。仙台駅への交通の便がいいというそのためにのみ、この地に降り立ちました。漂泊の思いというか諦念というか、そんな思いで、いつの間にか俯き歩むようになったような気がします。

でも、私は寂しいままでは厭なので、何か良い点を見つけ、心を上向けて生きることを心掛けます。

そのような方向に下の句をしたいと思い、次のように推敲しました。
● 一年じゅう赤き薔薇さく家ありて寂しき町がやさしげに見ゆ　令和五年
花のともす生命の明るさに、やさしさを感じて、私は心惹かれます。

私が長く住んでいた家の庭にも、雪の中に花をともす薔薇がありました。今も咲いているのでしょうか。

● 枯れ庭にうすくれないに咲く薔薇の思い出さるる雪の降る日は　令和五年

私は今、過去の思い出を引き摺って露地の薔薇を眺めているわけではありません。冬の厳しい環境でも健気にやわやわと咲く一つ一つの花の生命の尊厳に心打たれて、純粋に感動して立ち止まり、眺めているのです。

11　死を思うたまゆら

八十歳近い年齢になりますと、だれもが死を思う時があるのでしょうか。そんな短歌が、無性に私の目に留まるのです。

生身の体の当然の帰結としてある死を、今まではあまり気にしないで生きてきました。しかし、目に留まるということは、私もそれを意識し始めたということなのでしょう。死に急ぐわけでも、死に憧れるわけでもありませんが、死に対峙する心構えのような思いで読んでいる私がいます。

「地中海」令和四年十二月号に、次の短歌を見つけました。

○ 死の際にあるひは聞かむふるさとのコウコウと鳴く白鳥の声　三浦　好博

三浦さんは私より四つ歳上ですから、令和四年はめでたく八十歳です。三浦さんと私の生地は、同じ宮城県の栗原市です。

三浦さんの生地の築館町には、伊豆沼という渡り鳥の飛来する美しい沼があります。ラムサール条約に登録されています。

たくさんの渡り鳥が北方からやって来ます。沼はコウコウという鳴き声にあふれます。三浦さんは、その声を聞いて育ちました。死ぬ時は、ふるさとのコウコウの声の中で迎えたいという思いには、一種の回帰性を見る思いがします。鮭が生まれた川に戻るように、体は遠地にあっても死に際の意識はふるさとのコウコウの側にあるという思いは、私は理屈なしに共感してしまいます。

私にも、死を思って詠んだ短歌があります。

● 考妣(ちちはは)のねむれる地こそわが浄土流れ星ともなりて還らん　令和二年

ふるさとの光景は、春のわらび採り、夏の蛍火、秋のねじりほんにょ、冬の渡り鳥の編隊と、四季のそれぞれが深く心に刻まれています。

死を思う時、冬のキーンと冷えきった空気の中に満天の星が氷砂糖のように輝く張りつめた静寂が浮かぶのです。そこへ、流れ星のように還っていきたいと、私のまだ温かい魂は思い描くのです。郷愁の最後の昇華のように。

斎藤茂吉にも、白い冬の静寂を詠った短歌があります。

○ 夜をこめて未だも暗き雪のうへ風すぐる音ひとたび聞こ

斎藤　茂吉

この短歌は、茂吉六十七歳の時の歌集『白き山』に収められています。『白き山』は、郷里山形県の大石田の冬を象徴するものなのかもしれません。茂吉は七十一歳で亡くなりますから、晩年の、十六番目の歌集です。昭和二十一年及び二十二年の作歌八百二十四首を収め、昭和二十四年に発行しました。

ちなみに、ラスト歌集は、昭和二十九年発行の『つきかげ』です。茂吉は昭和二十八年二月に亡くなっており、この十七番目の歌集は山口茂吉、佐藤佐太郎、芝生田稔の手により編集されました。

「風すぐる音ひとたび聞こゆ」という表現には、自然現象だけでなく深い精神性がこもっているように思われてなりません。

松尾芭蕉が、

○ 旅に病んで夢は枯野をかけめぐる

と詠んだ境地に近いものを感じます。

十四歳で山形の片田舎から東京に出た茂吉七十一年の生涯で、魂はやはり生まれ故郷にあったことは感慨深いのです。春になったら、また茂吉記念館を訪れてみたいと思うのです。

12　囚人の短歌

短歌はある意味、ノンフィクションの文学と思います。自分の心を見つめ、自分の思いを詠むのですから。

たとえフィクションのように仕立てたとしても、そこに流れるのは自分の心でありますから、小説とは違います。

人生いかに生きるかという究極のテーマを背負い、人は苦しみながら生きています。

短歌は人を区別しません。高位の人から社会の底辺であえぐ人々まで、等しく人間を受け入れる懐の大きな文芸です。

私は令和四年に、仙台矯正管区の囚人の芸術作品集に、短歌の部門で関わらせていただきました。囚人という特殊な立場の人々ですが、彼らは罪をつぐないつつ長い歳月を獄に生きています。文学は彼らにとって、どんな意味があるのでしょう。

心に残る短歌があります。

○　孟蘭盆のしづもるさ夜に老囚の部屋より読経の声の漏れ来ぬ　K（令和三年版）

○　過ぎし時間（とき）三歳（みっつ）の愛娘（まなこ）の写真触れ会えぬ祝えぬ成人式の今を　H（令和四年版）

壁の向こうは私にはわかりません。囚人しかも刑期三十年四十年の人とは殺人罪と考えられます。その人たちへの歌評はどうあればいいのか、どうあってはいけないのか、その辺のかねあいで思い悩んだのです。

私が思い至ったのは、文学は短歌を区別しないのではないか、真摯に向き合っていいのではないかということでした。

矯正管区の体制側にとって私の歌評が好ましくないと判断されれば、書き直しの指示や、依頼取り消しとなるでしょうし、その時は素直に従うと腹をくくりました。

囚人たちが自分を見つめることは、自分の犯した罪を見つめることでもありましょう。この世の人間で心に一点の曇りもなく生きている人がいるでしょうか。妬み、憎しみ、恨み、嫉妬を一度も感じたことのない人がいるでしょうか。いじめ、批難、陰口、嘲笑、攻撃を一度も受けることなく人生を全うする人がいるでしょうか。

家庭の中にも、職場の中にも、社会の中にも人の心の闇はあると思われてなりません。それを肯定するわけではありません。人間は日々その葛藤の中で闇に飲み込まれないように踏んばって生きています。

逮捕され社会的に罰を受けるだけが罪ではありません。秘めて誰にも見せていない罪もあると思われてなりません。皆、プラプラの所で生きています。

囚人たちの罪が一線を越えた利己的で刹那的で破壊的であっては社会の中では危険な存在です。矯正が必要です。悪いことを正し改めさせるには教育が必要です。むりむり形だけ矯正しても、心が育たなくては再犯もありましょう。矯正とは教正と思われてなりません。

私はこれまでの人生を、負の部分を直視して生きる経験はほとんどありませんでした。しかし、今は私も不条理に苦しみながら生きています。ぎりぎりの所で思考し、社会の規範の中で、人とつながり、高め合い、人間の尊厳を見つめて生きています。

囚人を美化してはなりませんが、彼らの短歌にはまっすぐに向き合おうと思いました。

それは私にとっても、人間とは何か、人生をいかに生きるのかという課題につながる模索だと思うのです。

私が引き受けた仕事の重みに震えるような畏れも感じますが、私の生きてきた歳月の全てを注ぎ向き合いたいと思うのです。

短歌は詠嘆の文学です。詠嘆とは感動のこと。感動とは字のごとく物事に感じて心が動くこと。心に生まれたさざ波を詠みます。喜び、楽しみ、感激、嬉しさなど。幸福感だけではありません。苦しみ、悲哀、苦悩、痛恨、後悔などを含む人間としての心の動きのすべてが感動であり、短歌の泉なのです。

人生ではさまざまな嘆きに遭遇します。ただ嘆くのではなくて、自分の背負う現実の重みを直視して、教訓とし、人間として成熟していきたいものだなと思います。それは、短歌という営みに向き合うことでつながり得られていくものと思うのです。

先任の伊藤久子さんは十七年間、この仕事に関わってきたそうです。すごいことです。

矯正管区の文芸に関わることを通して、私の心の世界が広がり、学びが広がることを目標に、私のできる範囲で力を注いでいきたいと思うのです。

13　第二芸術論って？

桑原武夫の第二芸術論を、茂吉は昭和二十一年に大石田で聞き大いに憤慨したと伝わっています。

第二芸術論とはどういった論であり、茂吉や当時の歌人たちはどう対応したのでしょうか。

第二芸術論とは、

〈広辞苑〉

「桑原武夫の説による第二主義的芸術。

伝統的詩型である俳句のもつ前近代性を批判して言う。」

〈ブリタニカ国際大百科事典〉

「桑原武夫の『第二芸術』」（一九四六年）の現代俳句批判に端を発した、第二次世界大戦後の一時期における短詩型文学否定論の総称。

近代自我の確立や、人間性の回復を急ぐ時代の動向を反映して、短歌や俳句の日本的抒情、表現世界の狭小、あるいは歌壇、俳壇の根底をなす伝統的な結社性などを文芸様式の前近代性として退け、短詩型文学を小説や戯曲に比して、より質の落ちる遊戯的な「第二芸術」であるとした論。

小田切秀雄、臼井吉見らの否定論が出現した。

西欧市民文芸を理念とする性急な伝統批判という性格が強く、短歌や俳句の本質をゆるがすには至らなかった。」

茂吉は、

「もう少し若かったなら、大いに論戦するのだが。」

と、憤慨し、また嘆いたと北杜夫は書いています。

令和の今の世を見てみましょう。

コロナ過により俵万智の短歌が再ブームと言います。

短歌を始めた若者が多いとのこと。ＳＮＳで発言し、緩く交信。口語短歌が世に溢れ、文語体は古くさい、分かりにくいと簡単に忌避される風潮もあります。

こうあらねばならないと狭く制限するのでなく、それぞれの長所を取り入れ、自分に合った詠み方を尊重すべきと思います。

しかし、

「文語は古くさい、時代遅れ。」

とする声と、

「口語は分かり易いが軽薄。短歌の形式はリズムに力をもつ。口語では字数が多くてリズムが破調になることが多い。」

とする声と。

今の短歌をみると、一首の中に文語と口語が混じっている作品が多く目につきます。民主主義の名のもとに自我の解放、表現の自由を求め大きく動いており、過渡期という感じもします。短歌はどこへ流れていくのでしょう。

しかし、どんなに時代が変化しても、自分の思いを誠実に詠むことを私は大切にしたいと思うのです。

もっと具体的に知りたいと思い、本を読みました。

ドナルド・キーン著『日本文学の歴史』(中央公論社)第一六巻より核となる文章を抜粋してみます。

『短歌を現代世界を描写するには不適当だとして全面的に否定した。歌人は歌の改善を試みるよりも、短歌を捨てて新しい詩型を作り出すべきだと促している。

短歌は、伝統的な「ものの哀れ」の表現に力が注がれるあまり、哲学的および美的な深みが欠けてしまったと嘆いている。表現に関する形式張った拘束を解き、歌に使われる古典的な言葉を現代用語に置き換え、主題の範囲を大きく広げ、叙事詩、寓意詩、詩劇を書くべきと主張した。

その体系的なものとして、四つの点をあげている。
一、あらかじめ決められた主題で歌を詠むかわりに、実際の情景や物を詠むべき。
二、五七調の歌格は強制されるべきではない。
三、歌調はより男性的で、勇壮な精神を養うべきものだ。
四、歌の用語は現代の言葉であるべきで、普段使われている漢語や外来語も含むべきである。
短歌が伝統の保護者ともいうべき古い貴族階級と緊密な関係にあるという事実も、新しい政治の波にのった人々の非難の対象となった。彼らがめざしたのは、近代的な言葉で描写し、男性的で楽観的な精神に溢れた、民主的な短歌だったが、そのような条件を満たす歌を詠むのに成功した者は、あまりいなかった。』

第二芸術論は、私にはよく理解できません。あの時代に、桑原らの論は時代を急ぎすぎた感じがしてなりません。だから浸透しなかったのではないかとも。

とにかく、短歌はますます大衆に愛され、時代をたくましく生き抜いています。廃れることなく愛されていく短歌に、私は心から安堵と尊敬の念を持つのです。

14　茂吉作品への憧憬

それぞれの人物を十分に知っているわけではないので、書物を通して分かったことや思い描いたイメージで考えるしかありません。失礼なことになるとしたら心から謝るしかないのですが、率直な思いを書きたいと思います。

明治になって和歌から短歌と名称が変わり、大きな短歌革新運動がありました。多くの大歌人が命を削るように努力して短歌という大きな花を咲かせてきました。

落合直文は、も少し長生きをしてもらいたかったなと思いました。

石川啄木は、生活苦から解放させてやりたかったものだと。

正岡子規は、むごい病気に苦しんだなあと。

釈超空は、きびしい生涯でしたが、門人には恵まれたと。

佐藤佐太郎は、佐太郎自身が短歌に詠んでいるように大声で激しやすかったのかなと。でも、詠む短歌は美しい。

与謝野晶子は、一直線に夫を愛し、家庭の経済を中心となって支え、気丈な女人だったのだなと。

前田夕暮は、短歌のスタイルを何度も変え探求心の強い人物だったのかなと。

香川進は、私の師佐久間晟が神様のように敬愛していますので、会ってみたかったなと。

そして、斎藤茂吉です。風貌も東北弁も、生地が近いということからも親近感がわくのです。茂吉の短歌の世界の大きさ、深さ、温かさ、苦悩の全てをひっくるめて心惹かれます。茂吉は明治生まれですが　昭和二一年生まれの私の生地とあまり変わらない風土を感じます。ですから、

◇その生い立ちには興味があります。

◇茂吉に苦悩の短歌があるとは知りませんでしたので驚きです。

◇茂吉の短歌に対して強い憧憬があります。

この三点について、私の思いを書きたいと思います。

一、茂吉少年のいた金瓶村

金瓶は私の生地に似ています。田圃があります。神聖な山が近々と眺められます。母のような川が流れて人を土地を潤します。

農家の三男とのことですから食べ物には不自由しなかったのではないでしょうか。銀ヤンマを追いかけ、蛍を楽しみ、川や池や田の用水路で泳ぎ、山菜採りをし、心豊かな少年時代だったのではないかと思うのです、私がそうであったように。私の幼少期の遊び場はお寺の

庭でありました。集落はどの家も子だくさんで食事が済むと自然に寺庭に集まってきて、かくれんぼ、ビー玉、ゴム跳び、チャンバラごっこ、羽根つき、パッタなどをしました。

明治一五年の金瓶村も似たような風景ではなかっただろうかと想像が膨らみます。茂吉は、幼い頃から頭の良い子だったのでしょう。ですから、和尚様に目を掛けられ、習字や漢文を教えてもらえました。和尚様は茂吉の上京にも一役買ったと言いますから、相当に優秀だったのでしょう。

十四歳で高等尋常小学校を卒業し、東京の浅草区の斎藤医院に寄寓します。斎藤医院の将来の人材として推薦する思いが和尚様にあったのでしょう。

十四歳の田舎出の少年が大東京のまん中に送り出されます。茂吉の心境はどんなだったでしょう。

上京前に父親と湯殿山に参拝したと年譜にありますから、父親や和尚様、村人からの激励や期待は、まっすぐに茂吉少年の心に届いていたのでしょう。ですから、よく勉強に励み、都会に呑みこまれることなく、国語、漢文、英語、ドイツ語に打ち込んだのでしょう。偉いなと思います。私にはとても及ばない努力が感じられたからです。

二十三歳の茂吉は東京帝国大学医科大学に入学したとありますから、大したものです。

茂吉少年は茂吉青年になっていました。

そして、この頃、短歌を作り始めたと資料に書いてあります。

茂吉の少年時代に、暗さはないなと思いました。努力の上の立身出世を絵に描いたような生い立ちだなとも。

二、茂吉の苦悩について

秋葉四郎氏著『茂吉入門―歌人茂吉　人間茂吉―』（飯塚書店）を手引書にして調べてみたいと思います。

秋葉氏は、茂吉の苦悩として、二つのことを挙げています。

一つは、戦争

一つは、結婚の光と影

秋葉氏の著書によりますと、茂吉の戦争の苦悩を書いています。それによりますと、次のようです。

「茂吉は、日本が関係した近代戦争の全てを経験しました。」

特に、第二次世界大戦の、あの国民総力戦の時代、戦争を主体的に受け止め、軍を讃え、戦意昂揚の歌を多く作ったとも。

○ とよあしはら瑞穂のくにの初春のあまつ光は勝を徴(しる)さむ

昭和四年「新年頌歌　斎藤茂吉」

戦後、戦争を肯定していたのではと質問された茂吉は、次のように言ったと何かの本で読みました。

『あの時代はそういう時代だった。小説家も歌人も芸術家もその時代と無縁ではなかった。』そうです。そういう時代を茂吉は生きたのです。あの時代、高村光太郎も小関裕而も、釈超空も、皆そうでした。軍への協力を拒めば赤として監獄へ引かれます。非国民と糾弾され生きる場さえも無くなります。そして、戦後の茂吉の戦争懺悔歌へと続きます。

○ たたかひの歌をつくりて疲労せしこともありしがわれ何せむに『白き山』斎藤　茂吉

そして、生地金瓶への隠棲生活となります。その辺のことを、秋葉氏は次のように書いています。

『戦争は一億日本人の個々に否応なくせまっていたのです。こういう懺悔歌を残させるのも戦争だという思いが、私には強くわいてくるのです。』

そして、上山での隠棲生活の中から次の短歌が生まれました。

○ 沈黙のわれに見よとぞ百房の黒き葡萄に雨ふりそそぐ　『小園』斎藤　茂吉

この短歌には、沈黙して耐える茂吉の姿が浮かびます。「沈黙のわれ」「百房の黒き葡萄」の表現には心が痛みます。戦争は人の命を奪い、人を苦しめると、ほとほと思います。

茂吉のもう一つの苦悩も、私は全く知りませんでした。

秋葉氏は茂吉の結婚について、次のように書いています。

『結婚は茂吉三十二歳。てる子十九歳。尋常を超えるこの結婚は、少なからず歌人茂吉・人間茂吉に光と影をもたらすことになったのです。』

光と影とは何でしょう。


光とは何でしょう。

斎藤医院の婿養子となり、ドイツへ留学し、医院の院長となり子や孫に恵まれ、そして短歌での成功、このことを言っているのでしょうか。茂吉の短歌があります。

○　あかあかと一本の道とほりたりたまきはる我が命なりけり　『あらたま』斎藤　茂吉

三十代の青年茂吉の順風満帆の昂揚感が伝わるようです。そして、光は『赤光』という傑作を生み、世に歌人茂吉を不動のものとしたこと、そして、それから生涯に十七冊の歌集を遺した偉業をさすのでしょうか。

では、結婚の影とは何でしょう。

十三歳も年下の都会育ちの女性との結婚生活はどうだったのでしょう。何かの本で読みました。

『性格や育ち、価値観の違いから夫婦仲はあまりよくなかった。てる子は活発な性格で家の中で育児に専念するよりも、外へ出ることを好んだ。』

そして、「ダンスホール事件」が茂吉を苦しめたともありました。

ダンスホール事件とは？　ネットで調べました。

『昭和八年、ダンスホール事件は不良華族事件とも言われ、華族の恋愛、不倫事件で、上流社会の女性たちが関わる性的なスキャンダル。

事件発覚時、てる子も取り調べを受けた。茂吉は四人の子を引き取り夫人を追放した。』

四人の子は、長男十九歳、長女十歳、次男八歳、次女六歳であったといいます。その頃の歌があります。

○ 二十年つれそひたりしわが妻を忘れむとして衢(ちまた)を行くも　『白桃』斎藤　茂吉

○ たらちねの母のゆくへを言問ふはをさなき児等の常と誰か言ふ　〃

そして、別居生活となります。そこに、美しく若い女性が現われます。昭和九年九月、永井ふさ子二十四歳。茂吉五十二歳。その頃の茂吉の短歌があります。

○ 清らなるをとめと居れば悲しかり青年（をとこ）のごとくわれは息づく　『暁紅』斎藤　茂吉

茂吉の老いの恋です。

ふさ子との恋は、上山市の「斎藤茂吉記念館」でもきちんと説明しています。二人の写真も見ることができます。隠してはいません。それだけに二人の愛は真剣だったのでしょう。ふさ子は独身をとおしたとか。もし、ダンスホール事件がなかったら茂吉は若い女性に走ったでしょうか。

常しっくりしない夫婦仲だったとありますし、ふさ子はとびきりの美人ですからやはり茂吉はふさ子を愛してしまったかもしれんせん。

秋葉氏は、二人のこの恋を次のように書いています。

『男女の愛は善悪を超えましょう。茂吉は苦悩しながらもひたすら人を愛し、愛の歌を残し、歌集『暁紅』は艶のある、人間性あふれる歌集になっています。

やがて師弟の関係のみに戻らなくてはならない宿命にあって、二人の間には葛藤、苦渋があったかもしれません。しかし、愛の歌は愛の歌として輝いていることを、茂吉読者は忘れてはならないでしょう。』

何という温かい文章でしょう。「男女の愛は善悪を超えましょう」の文を何度も読みました。孫弟子としての秋葉氏の敬愛あふれる文章です。人間を肯定的にとらえる世界観の大きさ、深さに私は絶句しました。

一方で、小池光氏の『茂吉を読む―五十代五歌集―』（五柳書院）には次のように書いてあります。

『もっとも、夫人とてタダモノではないから一方的に押し込められてはいない。いくらでも抜け道がある。こういうところの虚々実々のかけひきはドラマ以上にドラマであってなんともおもしろい。』

おもしろい？　おもしろがっているの？　秋葉氏とはずいぶんと違う書き方だなと思いました。

小池氏は、次のようにも書いています。

『茂吉が離婚を思い止まったのは、世の無数の夫婦と同じく、子供たちの存在が大きく左右していただろう。』

茂吉は斎藤家の婿養子ですから、そういう面からも離婚は簡単ではなかったかもしれません。

やがて、茂吉は戦後の東京の家族のもとへ帰っていきます。そして、一枚の家族写真を遺します。「文化勲章受章時、斎藤家の人々」として、茂吉記念館にあります。

茂吉の苦悩は終わったのでしょうか。

昭和二十八年二月二十五日、茂吉永眠、七十一歳。ふさ子は茂吉の死をテレビニュースで知ったとのことです。茂吉の最晩年の短歌があります。

○　茫々としたるこころの中にゐてゆくへも知らぬ遠のこがらし『つきかげ』斎藤　茂吉

いろいろな本を読んで感じたことは、アララギ短歌の比類なき大歌人の茂吉の人生は、実にドラマチックだという思いです。

茂吉に二つの苦悩があったとは初めて知りました。苦悩ではあっても、どれにも茂吉は真剣に向き合ったのではないでしょうか。順風満帆だけの人生であったら、私はこれほどまでに茂吉の人間性に心惹かれたでしょうか。

人生は一筋縄ではいきません。時代が人を揺さぶります。人間や社会の価値観は時代とともに変化します。そういう意味で生き物です。多くの荒波に揉まれながらも「一本の道とほりたり」と前を向く一人の人間の姿が見えます。

私は、ますます茂吉に心惹かれるものを感じました。このエッセイを書いている今日は、令和四年十一月二二日。北国は初冬を迎えました。五月に訪れた茂吉記念舘も秋葉四郎氏の歌集『蔵王』も私の心を温かくしてくれます。

春になったら、もう一度金瓶を訪れたいという思いを強くしています。結社は違いますが、歌詠みの心は同じです。

私は茂吉の短歌が好きです。

長いエッセイになりました。私は短歌の、そして人生の手引書のように資料を読み、この一篇を書きました。

最後に、私の好きな茂吉の短歌を書き写します。

○ 陸奥をふたわけざまに聳えたまふ蔵王の山の雲の中に立つ　『白桃』

○ 死に近き母にそいねのしんしんと遠田のかはづ天に聞ゆる　『赤光』

○ 桑の葉の青くただよふ朝明に堪へがたければ母呼びにけり　『赤光』

○ 最上川の上空にして残れるはいまだうつくしき虹の断片　『白き山』

○ 最上川逆白波のたつまでにふぶくゆふべとなりにけるかも　『白き山』

○ のぼり来し山の一夜のまなかひにまぼろし見つつ吾は眠らむ　『寒雲』

茂吉の声は、今でもスマホで聞くことができます。

その中から、私の好きな一首です。

○ 草づたふ朝の蛍よみじかかるわれのいのちを死なしむなゆめ　『あらたま』

少し訛がありますが、同じ東北人の私には親近感が湧きます。

五月に上山市へ行った時、私は次のように短歌を詠みました。

●峰に峰、谷という谷若みどりおのもおのもに山立ちあがる　令和四年
●残雪も谷間の藤の紫もわが身の内に清流となる　〃
●やわやわとうるいの山菜売られいて茂吉の里は五月のひかり　〃

再び、上山市を訪れた日には、私はどんな短歌を詠むのでしょう。

15　茂吉が写実的な子規や根岸派の歌にひかれていったのはなぜか

そのヒントのような文章に出会いました。片桐顕智著『斎藤茂吉』（清水書院）

『これは茂吉の出身と交友関係に由来しているのかもしれない。市民的生活感情を歌いあげた「明星」一派に対して当時の茂吉は、あくまでも地方出身であって都会人ではない。自然主義が都会人によって唱えられなかった如く、写実主義も都会人の間にはおこらなかった。主観に優位性をおく生活でなく客観に優位性をおく生活が地方生活者である。

若き茂吉が子規の客観的な自然観察や日常現実の歌を見てうれしくなって作歌に志したのも、そういうことが考えられよう。

交友関係としては、池田秋旻の随筆から子規の根岸派には「馬酔木」という歌の雑誌があ

ることを知り、盲目的な尊敬を払うことになった。

また、開成中学時代のグループで指導格であった渡辺幸雄は、茂吉の歌をほめてくれた。

つまり、渡辺幸雄によって歌に関する眼が少しずつ開けていったのである。

子規の「竹野里歌集」によって、短歌への眼が開かれ作歌に志し伊藤左千夫の門に入って精進し、左千夫の影響を受け、さらに、「アララギ」の編集に携わっていく。』


私が注目した点は、次の区分けの部分です。

◇主観に優位性をおく生活が、都会生活者
◇客観に優位性をおく生活が、地方生活者

地方に暮らす私には、自然は生活の一部のように身近にあります。自然を見つめ、自然の推移に合わせるようにして暮らしがあります。橡の木が芽吹いたよと感動して歌を詠みます。初蝉の鳴き声に夏がきたと実感して歌を詠みます。柿が色付いてきたなあ、蔵王山に初冠雪の朝だなあ、欅並木がすっかり裸になったなあ、吹雪で視界がきかないなあと、一年がこんな感慨で明け、暮れるのです。

振り返ってみますと、私の短歌は自然観察の目を基にしていると感じます。次の私の短歌は、ふるさとの栗駒山の温泉施設「ハイルザーム」にて詠みました。

● きさらぎの山荘の窓地吹雪の腕に氷柱はくの字に曲がる　令和四年

次の歌は、ふるさと金成耕土の春の田を見て詠みました。

●残雪の峰より下り山裾のそこよりとどく早苗田の水　同

次の歌は、秋の金成耕土を眺めて詠みました。

●とおき日の家族総出の日を顕たせねじりほんにょの輝き今も　令和二年

目や耳や肌で感じたことが刺激剤となって歌が生まれています。もちろん、外からの刺激ではなく心に生まれる思いを詠むこともありましょう。

佐久間晟師の歌がよみがえります。

○なにゆえの身の衰えのかなしさよみちのくは常に奪わるるのみに　佐久間　晟

晟先生は、晩年に話されました。

「俺はこの頃は、外から刺激されて詠むのではなく、心の中にあるものを詠むようになった。」

斎藤茂吉の最晩年の歌がよみがえります。

○茫々としたる心の中にゐてゆくへも知らぬ遠のこがらし　斎藤　茂吉

意識が朦朧としていますから、「こがらし」は今現在に聞いている音ではありません。心の内に湧きあがってくる遠い日に聞いた音が幻のように意識の底に鳴るのでしょう。やがては誰も、五感や五体が衰弱します。その時の歌の泉は己の心の内に湧く思いです。ですから、心の内にたくさん蓄積しておき自在に無意識に鳴り出す自然現象や生活現象で一首が成り立ったらいいですね。

そのためには、今、五感をマックスにしてキャッチすることの積み上げが大切なのだと私の心の鈴が鳴るのです。五感をフル稼働させわくわくする心がやがて消滅してドーンと重く沈んだ動かない体になった時、草原の若草の光景が浮かんで、風にさわさわと揺れたら楽しいでしょうね。励みましょう。

16　茂吉の墓は三つ

茂吉の墓は三つあるそうです。

一つは東京青山。

一つは郷里の金瓶村。

そしてもう一つは、大石田。

大石田の墓は、結城哀草果氏がひそかに茂吉の骨を隠し持っていたが、晩年体をこわした時に、板垣家子夫さんを呼び骨を託したとか。板垣さんはそれで大石田に墓を立てたとのこと。これは公式のものではないそうですが、三つ墓があると、北杜夫氏は書いています。

大石田の人々はいかに茂吉を大事にしたかをうかがい知るエピソードとして、私は、北杜夫氏の次の一節を読みました。

『茂吉晩年』より
『九月二十四日に茂吉は、金山画伯、板垣、二藤部さんと荘内海岸へ行っている。

—中略—

新庄駅に着くとすぐに酒田行きに乗り換えねばならぬ。大石田駅長は新庄駅の助役に電話をしてくれていた。—中略—

余目駅に着くと、

「大石田から来られた方ではないですか。」

と駅員が声をかけた。ここでも大石田駅と新庄駅から電話があって、駅事務所に案内され
「もう暫くしますと貨車が入ります。混んだ汽車よりいいでしょうから、鶴岡までこれで行き、鶴岡で列車を待って乗った方がいいでしょう。あそこなら降りる人が多いので掛けられますから。」

大石田の駅長はこのように万事に手配してくれていた。

この時、茂吉は六十五歳。当時の汽車は、押すな押すなの混雑で、窓から乗り込む者も多い。

先に列車に入り手を伸べている金山画伯のいる窓の下に行った。だが茂吉はとても窓に飛びあがれぬ。板垣さんと助役が外から茂吉を押し上げ、中から画伯と二藤部さんが手をひっぱる。

車内はすでに満員で二人とも体の自由がきかない。片手が離れ茂吉は片手で窓の縁に掴まり、左の片足だけが窓縁にかかり、頭が窓外にはみ出ている。茂吉は、

「俺はもうええっす。とても駄目だから構わず俺をおいてみんな行ってけらっしゃいっす。」

窓にぶら下がったまま苦しそうな声で言う。』

当時の旅行はこのようなものだったのかと驚きました。きっと汽車の本数も少なかったのでしょう。自家用車も普及しておらず、汽車は重要な乗り物だったのでしょう。

茂吉が大石田に疎開した年月は二年ほどだといいますが、大石田の人々は、当時の茂吉の住んだ家「聴禽書屋」を昔のままに保存し、その裏手に大石田町立歴史民俗資料館が建っています。茂吉は大石田の人々にも慕われたのでしょう。

そしてすごいことは、毎年五月の生誕月に、上山市では茂吉記念の全国大会を続けていること。山形の人々にとって、茂吉はどこまでも郷土の偉人なのです。

17 茂吉の〝孤心〟

○もみぢ散るはざまの音を聞くなべに孤心（ひとりごころ）を吾は愛（お）しまむ　斎藤　茂吉『暁紅』

「孤心（ひとりごころ）」とは興味深い語だなと思いました。意味は何でしょう。「独り心」でしょうか。単に一人の意味ではなく孤独な心情がこもっているようにも感じます。茂吉の造語でしょうか。

秋葉四郎氏は、茂吉を『言葉のリベラリスト（自由主義者）』と本に書いていました。茂吉はどのようにしてこの語を生んだのでしょう。とにかく、言葉への強い探求心が滲んできます。いつか、私も使いこなしてみたい語だと感じました。

片桐顕智著「斎藤茂吉」（清水書院）に、興味深い文章を見つけました。次に記します。

『茂吉を理解するには、茂吉を育てたみちのくの風土と精神を知らねばならない。また、茂吉の生活や人柄を知らねばならぬ。

茂吉の自己表現は心奥から発しているし、自然に徹している。茂吉の歌には何かがあるとよく言われるわけである。その何かは、神秘的なものでもなく、思わせぶりのものでもない。茂吉自身の心奥の生命である。

それは深く沈潜して、心の底に強く何かを訴えようとしているものである。茂吉の歌は茂吉の真の生活を知らないと分からない場合が多い。なぜかと言えば、茂吉はそれを抒情的にしか訴えていないからである。「かなし」「さびし」「あはれ」の詠嘆は、茂吉の観念的な抒情の叫びではなくて、せっぱつまった心の叫びなのである。

茂吉の人生行路は、養父によって作られたコースであった。留学も学位も、医者も、幼妻も。しかし、茂吉は、その人生行路について反逆はしなかった。すべてが苦難の道ではなかったが、茂吉の人生を決定していったものに対する恩義も忘れなかった。露伴の修養ものにあらわれた人生訓、または、露伴の万有観・運命観・生命観も心の支柱となったことは否定できない。精神的な苦難は、すべての心底に沈潜し、それに耐えて生きていく忍苦は、歌によって、そのはけ口となった。歌は茂吉の生のカタルシスであったともいえよう。そして、茂吉生涯の短歌の底流は悲劇的なものといえる。』

長い引用となりましたが、なぜこの文章が私の心に引っかかったかと思いますに、私と同じだなと思う所があったからです。特に、どこかというと、

『精神的な苦難は、すべての心底に沈潜し、それに耐えて生きていく忍苦は、歌によって、そのはけ口となった。』

の部分です。心の哀傷を茂吉は次のように詠っています。

○うづくまるごとく籠りて生ける世のはかなきものを片付けて居り　斎藤　茂吉
○しづけさを恋ひに恋ひつつ曇りの日の鎌倉山をわれ歩きけり　〃

茂吉は、生涯に十七もの歌集と『柿本人麻呂私見覚書』を著し、また、医学博士として多くの論文を執筆し、大学での講義もしています。日本の精神医学会の黎明期を牽引し、また、大歌人として輝かしい業績を遺したその原動力の生まれた所は、必ずしも幸福感だけではないところにあったとは、実に心を引きつけられます。

つり合わない結婚生活の苦悩、老いらくの恋の苦悩、戦争の時代を生きた苦悩、そのどれも実に痛々しい。痛々しいが、茂吉は耐えました。そこに、東北人のねばり強さと、どこまでも都会人にはならなかった茂吉の人間性が私には同じ東北人として共鳴するのです。

「孤心（ひとりごころ）」とは、興味深い語です。「恋ひに恋ひつつ」の表現も私の心にビビッと光を放ちます。自分の短歌を詠みたいと思いました。今は「孤心」を主題として一首を記したいと思います。

私は観葉植物ドラセナ・ジャネットリンを部屋に一鉢置き、共に暮らしています。令和三年と四年に花が咲き、種子が生まれました。

私はドラセナの種が畳に落ちた音を心でキャッチして、次のように詠みました。

●ささげもつ誇りならんかドラセナの砂粒の種子おちて部屋に鳴る　令和三年

18　ホームページ

宮城県歌人協会はホームページを立ち上げ、県下の各結社の活動報告や、会員消息、歌集新刊の紹介、歌人協会からのお知らせなどを一覧できる活動を始めました。

地中海湾の会の担当は私です。月例の歌会が終わると、二、三日中にその報告原稿をまとめ、県ホームページ担当の奥寺正晴さんに郵送します。

二〇二〇年九月十三日から、私の作業はスタートしました。原稿の内容は三名ほどの作品を紹介しながら活動の報告、会員の新刊歌集や話歌の紹介、その他です。六行程の分量という指定があります。

懐かしいので、スタートとなった湾の会のホームページをふり返ってみましょう。

〈二〇二〇年〉

月例の歌会に十六名が出席、十六首を合評した。

○　まなざしをわれに定めて大立ちの向日葵の花よ苦しくはないか　　根岸　亮

○　梅雨明けの空に吸われてドライブを浜の潮風に吹かれに行こう　　佐藤　昌

○言葉ひとつこぼるるさまにわれの薬ころころころと夫の傍えに　山崎三千代

歌集紹介
八月刊行　第二歌集『記憶の遺産』　上林節江
近刊紹介　第一歌集『四月の翼』　安部律

奥寺さんは私の原稿を受け取ると、県のホームページの「各結社の活動紹介」として、すぐに更新してくれました。

そして、私に連絡をしてくれました。レターの時もあり、メールの時もありました。

奥寺さんとのやりとりは楽しかったです。何が楽しかったかと言いますと、他結社の様子が見えてきて視野が広がるのです。私は他結社の人をあまり多くは知りません。県芸術協会の活動を通してわずかに知るだけですからね。私が、

「今の私の生活にパソコンはない。」

と言いましたら、奥寺さんは、

「スマホでも見ることが出来ますよ。」

と、その手順を詳しくプリントをして送ってくれました。

毎月の県のホームページを通して、他結社の活動の様子を読むのは楽しみでした。

しかし、コロナウイルス感染症の流行により、他の結社は紙上発表に切り替わり対面での歌会がなくなりました。それに伴いホームページの更新は止まりました。湾の会は更新を続けていました。歌会のあるかぎり、更新は私の分担した仕事でしたから。

「地中海さん、活発だね。」

と、声を掛けられました。

ホームページの役割は大きいと思います。私は他結社の活動の様子を知りましたし、知人も広がりました。

発信して、多くの人たちがキャッチしてくれればいいのですが、そこが問題です。

二〇二三年五月から、湾の会の役割分担の交代があり、私はホームページ担当から離れました。しかし、これからも毎月のホームページには目を通したいと思います。そして、結社の中でホームページを話題にしていこうと思っています。

二年半ホームページに関わった思いを、私は次のように感謝をこめて詠みました。

● 視野に似て狭まりてゆく老いの縁ホームページに広がりて花　　令和五年

19　高齢者という戸惑い

最近、自分の短歌が気になります。なにか重くて心が弾まず明るくないのです。作ったばかりの時には気づきません。作るのに一生懸命ですから。

しかし、日数を置いて読んだり、他の人の短歌と並べてみたりすると、アレ、どうんと重く沈んで老人の歌になっているじゃん！と思います。

その時は、少なからずショックを受けます。なんとかしなくっちゃ。

令和五年六月号の「地中海」が届きました。

A欄の人々はどんな題材でどのように詠んでいるのかと、ヒントを求めるように読んでみました。

〈多く取り上げられていた歌材〉

「孫の結婚」「子からの看取り」「亡夫」「友の訃」「老い」「卒寿過ぎれば」「くすんだ大人」「戦争」「窓の小鳥」「息子」「身の病」「桜」「老いの残り火」「老猫逝く」「花見」「雛」「鎮魂」「三万歩」「春探し」「旅」「亡父」「コロナ」「発熱」「心不全」「循環器疾病」「とうに行方不明」「戦中派」「涙」「どっこいしょ」

概して、なにやら寂しいのです。

もちろん、美しく弾む歌もあるのですが、私の目に止まるのは…。私がくすんでいるのです。私はどんな短歌を提出したっけ？　見ますと、私の歌は次の七首でした。

● 氷雨の街追われて入るコンビニにほかほか肉まん明るく並ぶ
● 霜柱耐えつつおれば踏み入らず日陰の地(つち)の花よと愛(お)しむ
● 霜風と麗らの日とが行き惑い脳のスイッチ誤作動つづく
● 容赦なく霙のつぶて浴びながらひとつ水仙半眼に開(あ)く
● 今日こそと上りて来たる梅林に目白のすがた、さては咲いたか
● 田起しの重機のひびき冬枯れの固き大地がほぐされてゆく
● 零れ実の菜の花ゆれる畑なかにとおく野焼きの煙のにおい

令和五年六月号「地中海」

私の愛する短歌は弾む心です。耳が遠くなり、目がかすみ、歩行が苦しくなっても、詠む方向は生命力であり再生力です。押し潰されないエネルギーをテーマにしたいと願うのです。そのためにはどう暮らせばいいのでしょう。

一つは、視野を広くして世界に目を向けて暮らすことかなと思います。テレビがあります。ラジオがあります。スマホもあって、情報を得る手段にはあまり体力を消耗しません。世の

動きを追ってメモをとる位の視力はまだあります。

二つは、目的をもって歩くことかなと思います。

私のアパートの前は百本の橡の木の並木です。四季の変化は日々新しく、敬嘆することがたくさんあります。

真冬の橡の木は裸木ですが、よく見ると赤く小さな芽がたくさんあって冬日にキラキラと光ります。

春になると、赤い咢片が降りかかり散歩が飽きません。

やがて、花の立房が天に伸びていきます。派手な花の色ではありませんが、天に向かって伸びる花の房には感動して、私も天を仰ぎます。

花の姿が消えました。どうなっているのだろうとそれを探して散歩します。葉がうちわのように大きくなりいく枚もいく枚も混み合って、なかなか分かりません。花は枝先につきました。ですから、枝先をたんねんに眺めて歩きます。すると、緑色の小さな丸い実がブドウのようについています。私は、実の数をかぞえて歩きます。花房だった下の方にかたまって、五個、六個が平均的でした。サイズは直径二センチメートル位です。花房の先端の方には実はついていません。そこがブドウとは違うなと思いました。

この実が全て成熟するわけではありません。やがて、六月頃になると、小さな緑色の実が地面にいくつも落ちています。樹は自分で摘果をしているのです。そして秋には、直径四センチメートル位の真黒でつやつやと光る立派な実ができます。しかし、成熟する実の数は、一樹に二〜三個です。

目的を持って歩き、その答えを発見し、短歌に詠むのです。

令和四年

●椽の木の赤き咢片降りかかり並木に飽かず今日の歩みは

●枝のさき寄り添うように実は生まれ日差しの中に時を反芻む

●バサッとぞ地を擦る音にふりかえり団扇のような落葉を見る

●つやつやと黒光りする椽の実がわれと一つの部屋に棲みつく

●皺む種子ながらえくれよと椽の木の根方に埋める雪の来る前

●つんつんと尖る赤き芽ぬめぬめと冬の日に照る椽の裸木に

三つ目は、生命の輝きを見つめること。

自然は生き物です。一日として同じ日はありません。風も空も鳥も花も草も樹も自然の摂理に従い、その営みは止むことはありません。巨木が枯れても若芽は地面に吹いています。私たち人間も同じです。個体は朽ちても人類は続くでしょう。自分の血筋が続くか途絶えるかという視点ではなく人間という種のなかの自分を肯定的にとらえ、未来を悲観的に考えないようにしたいなと思うのです。

容赦なく加速する老化。戸惑いながら跪き、跪きながら心を立てることが私の課題になっています。

20　海洋放出

二〇二三年八月二十四日午後一時二分、東京電力福島第一原子力発電所から、たまっていた核の処理水の放出が始まりました。

私は、息を呑んでそのニュースを聞き、映像を見つめました。

あゝ、とり返しのつかないことが始まってしまったと心が震えたのです。福島の漁師たちの映像が流れました。

「お互いに納得するまでは放出しない取り決めなのに、約束は破られた。」

「風評被害は免れない。どうして生活したらいいのか。」

「魚は売れなくなるだろう。漁業の未来はどうなるのだろう。」

そういう声は何日も放送されました。

私には不思議です。なぜ日本国民は静かなのでしょう。私たちは島国に生きていて、毎日、海からの産物を食べています。海草や魚だけではありません。塩も必要です。豆腐を凝固させるにがりは海水から作ります。日々の暮らしに密着しています。

政府は、説明を七百回実施したと言っていますが、私の身近ではそのような動きも展開もありませんでした。福島というごく限定された、しかも限られた職種の人たちの問題としておけば国民的抗議運動に国が揺れることはないのでしょう。ですから、マスコミも福島の漁師の〝風評被害〟という言葉だけを拾い集めて報道しているように思えてなりません。これは、日本人全体の問題なのです。

しかも、放出は今後三十年間も続くのです。食料は世界につながっています。私は、はがゆい思いを次のように詠みました。

●漁業者の問題としていいのかと海洋放出に心の疼く　令和五年

そして、海洋放出後の空き地は核のゴミの貯蔵庫として使われるそうです。福島はいつまでたっても核から逃れられないのかと痛ましく思いました。反対しても押し付けられる核のゴミ。その思いも読みました。

●どこまでも核の枷あるフクシマか海洋放出の後に来るもの　令和五年

アメリカ、韓国は理解するという態度をとります。しかし、中国は激しく反発しました。携帯電話で福島県、市、市民に向けて無差別に攻撃します。県庁には千回、市には七百七十回、個人のラーメン屋さんにも一日に三十回以上も電話が鳴るとのこと。仕事にならないと困惑します。中国の国際電話番号は086で始まります。
中国民衆がメールや電話や、その動画をSNSにのせて拡散する目的は、
。自分の気がすっきりするから
。広告収入が得られる
。愛国心をアピールできる
中国政府は自国の不利になるメールは削除します。しかし、削除せずに放任しているのは政府の方針に叶うからです。
方針とは、
。政府への国民の不満の鉾先を日本へ向けさせて、不満のガス抜きをする。(中国の常套手段です。)
。日本を貶(おとし)め、世界に日本のイメージを悪くさせる。
。日本からの海産物の全面輸入禁止の理由づけになる。
中国にある日本人学校には石や卵が投げつけられ、日本人は「日本語を大きな声で話さないように」と指導されているとか。
私は過去の記憶を思い出しました。イスラム国が日本人を殺害し、日本人を殺す、人の集まる所を爆破すると脅迫しました。あの時、スイス在住の娘一家の身を私は案じ、娘に「日

本語を話すな、人の集まる所に行くな。」と日本から呼びかけ気を揉みました。

私は、やるせない思いを次のように詠みました。

●娘に言いき「日本語話すな」あの時はイスラム国が、今は中国　　令和五年

●８６の迷惑電話は〝官製〟とぞ海洋放出チャンスとばかりに　　〃

それぞれの国には、それぞれの歴史や文化、国民性、政治体制があり、それらは国際社会の中で複雑にからまり、対立して各々自国の利益を譲りません。綱引き合戦で、そこに正義はありません。勝った国が正義。

資源や食料や武器や技術の力で小国を呑み込もうとします。そして、核兵器で優位に立とうと躍起になります。何度も弾頭ミサイルの実験を繰り返す国が日本の近くにあります。私たちはそういう時代を生きています。

地中海の友人の短歌を思い出しました。

二〇二三年九月号です。

○全世界が揃って核を持てば良い世界平和に繋がるならば　　三浦　好博

なる程と思いました。全世界の国が核兵器を持ち、互いに抑制し合えば戦争は起きないか

もしれません。しかし、これは現実的に不可能です。ならば全世界が兵器を持たなければよい。これも不可能でしょう。不可能であっても、どうすれば人類みな平和に生きられるのかと思考することを放棄してはならないと思うのです。他人事としてではなく、自分のこと、自分の子孫に関わることです。目を背けることはできません。

それぞれが考える思いや希望を発信し表現していくことが大切なのだと思います。一人のつぶやきが国のつぶやきとなり、世界のつぶやきに広がっていったらいいなと思いませんか。私も、勇気をもってつぶやきます、短歌によって。

●たった一つの被曝国ニッポンが核兵器廃絶に加わらぬねじれ感　令和五年

21　正義とは

令和四年十一月十五日のニュースに衝撃を受けました。

ポーランドにロシア製のミサイルが着弾し二名が死亡したとのこと。

ウクライナ側もロシア側も、相手国の打ち上げたミサイルだと主張しました。

ポーランドの男性が重々しくつぶやきます。

「私はこれまでウクライナからの難民に食事を提供する活動に参加してきた。しかし…。」

彼は、「しかし」で言葉を切りました。この後にどんな言葉が彼の胸の中にあるのでしょう。

「しかし、これからは無邪気にこの活動に参加できるだろうか。」

というものであるならば、心が痛みます。

ウクライナがロシアの爆弾を迎撃するために打ったものが誤ってポーランドに着弾したのではないかというアメリカ側の調査があります。ミサイルの飛行した軌跡から導き出した意見として今後も調査は続けられるとか。

ポーランド国内には親ロシアに傾く人々と、ウクライナ支援にがんばる人々とがいます。この段階で、ミサイルがウクライナ側から飛んできたと明確になれば、ウクライナへの反発感情に油を注ぐことになりはしないでしょうか。

それが困るのです。私は次のように言ってしまいました。

「ロシアは嘘に嘘を重ねて侵攻してきたのだから、ウクライナも対抗して、ウクライナ側の打ち上げたミサイルではないと主張し続ければいいんじゃない。」

しかし、弟は言いました。

「それではロシアと同じになり、ウクライナは嘘つき国家になってしまう。もし、誤爆だったのなら、それをきちんと認め、誠意をもって謝罪するのがいい。」

なるほどと思いました。

ウクライナはロシアと同じ不誠実な国家になってはいけないのです。それでは、国際社会の支持は得られないのではないでしょうか。誰にも誤りはありましょう。まして、戦火の中では何が発生するか分かりません。嘘八百はいけないでしょう。一国の利益だけではないのです。国際社会の中で正義の行われる国家でなければなりません。

人と語らうことは、実に意義深いものです。一人だと感情的、短絡的な思考に陥りやすいのです。人と語らうことにより、視野が広がります。自分と違う意見に光明を得ることもあります。

私は、弟の言葉に成程と何度もうなずいていました。


これを人と人とに置き換えて考えたならどうなるでしょう。例えば歌会で攻撃的な発言を投げつけてくる人がいるとします。自分も同じように攻撃的な発言で応戦したなら、歌会は実に殺伐とした雰囲気になりましょう。そこに学びは生まれましょうか。親睦や友情が育つでしょうか。その場にいる人々はどんな思いをするでしょうか。人心は離れましょう。「大人の対応」が求められます。

大人の対応とは、感情に流されず、正しい行動をとること。そうでなければ自分自身も汚染され歪んでいくことでしょう。組織のなかでは大人の対応が大事です。感情をコントロールして誠実に発言することを見失ってはなりません。

これを家庭に置き換えてみましょう。

家庭という密室の狭い空間に日々自分と全く違う性格や価値観の人と暮らして、その人が攻撃的であった時、大人の対応が貫けるでしょうか。私の心は痛みます。その痛みがどれ程大きいものであっても解決できないこともこの世にはあるのです。私は、胸に焼鏝を押しつつ生きているように思います。その思いを、私は次のように詠みました。

● 生き方は人それぞれと思いつつ憂いの心は焼鏝（やきごて）を抱く　令和五年

22「青春ってすごく密なので」

これは、須江航監督の言葉です。

二〇二二年、夏の甲子園で、仙台育英高校が初優勝しました。

「コロナ禍に生きる全ての人に届けたい〝エール〟だった。」

新語・流行語大賞にノミネートされた〝刺さる言葉〟を持った指導者、須江航氏。

チームスローガンは「日本一からの招待」。

自身の座右の銘は「人生は敗者復活戦」など、印象深い言葉を次々と発し、どれも心をゆさぶるのです。

「ダメだ、ダメだと密になる活動を制限される中でも、こんなにも高校生は頑張っているんですよと、私なりに全国の高校生を称える言葉でもありました。

祝福のメッセージがおよそ七〇〇〇通届きました。

学校の先生たちからは、『私たちのやるせない気持ちを代弁してくれてありがとう』と。

あのインタビューによって、『そうだったよね。青春って密だったよね』と思い出すきっかけになっていただけたら嬉しく思います。」

三十九歳の若き須江監督は、どこまでも爽やかです。

優勝してから監督のホワイトボードには、取材や来客の予定がぎっしりと書きこまれているとのこと。指導者講習会の依頼も増えたと。

甲子園の優勝だけでは、これ程多忙を極めることはなかったはずです。その理由は、刺さる言葉を持った指導者であるから。

「高校生の二度と帰ってこない青春の時間がコロナで奪われてしまうのは本当にやるせない。大人の一年よりも、子供たちの一年の方が密ですから。」

須江航氏は、語る監督だと思いました。

須江監督の青春は苦い思い出の方が多いとか。「青春は孤独だった。」と高校時代をふりかえります。

「二年生の新チーム始動時に、選手からGM（グラウンド・マネージャー）に転身し、監督と選手の間に立つ役割を担った。三年生の春にはセンバツ準優勝を成しとげるも、そこからメンバーとメンバー外とに溝ができ、チームはバラバラに。須江GMはチームを一つにしようとして、毎日のように怒り、叱り、厳しい態度をとったんです。

当時の私はコミュニケーションの取り方が分かりませんでした。厳しく接するしかチームを一つにする方法はないと思っていたんです。優しさのかけらもない人間で、同級生には本当に申し訳なく思います。」

この時の苦い経験が、指導者の道に進むきっかけとなり、須江監督の土台となっているとのこと。

八戸大学では、一、二年生の時にマネージャーを、三、四年生時には学生コーチを務めたそうです。選手としての活動は、高二の夏までだったとか。

それでも、選手時代の実績がないことを、

「今となっては私の強み。過去の栄光に浸ることは一切なく、過去をふり返る時間があるのなら、常に前に進んでいきたい。」

と語ります。

系列の仙台育英秀光学校野球部の監督となり、全国優勝を果たし、二〇一八年から仙台育英高校野球部の監督に就任。

二〇一九年夏の甲子園、二〇二一年センバツでベスト8に勝ち進む。

悲願だった優勝。深紅の優勝旗はついに二〇二二年の夏、白河の関を越えたのです。

私たちは、須江監督や育英ナインから何を学ぶのでしょう。

ねばり強く努力し、諦めない心を持つことと私は思います。そして、自分に問いかけるのです。努力していますか？はずんでいますか？年齢や老衰に負けてはいませんか？

23 連覇の夢

二〇二三年八月、今年も甲子園球児の夏がやってきました。

宮城県県大会を制したのは、今年も仙台育英高等学校でした。須江航監督に率いられて育英球児は甲子園へ行ったのです。

昨年は優勝でしたので、〝連覇〟を期待する声は多く寄せられました。私も期待したのです。

仙台育英は試合を勝ち進みました。ベスト8、ベスト4、準決勝、そして、八月二十三日午後二時、決勝の時を迎えたのです。対戦相手は神奈川県代表の慶応高校です。慶応が勝てば一〇七年ぶりの優勝、育英が勝てば大会史上初の連覇が達成です。世はこの決勝戦にヒートアップしました。

二十二日、決勝戦前日の選手や監督の様子がNHK仙台のニュースで取り上げられました。

選手たちの声はもちろん〝勝つ〟というものでした。監督は何を話すのだろうと興味深くテレビの画面を見つめました。

「初回戦から強豪チームとの対戦が続き、選手たちの体力がなくなってきています。宮城の皆さん、東北の皆さん、そしてそれに関わる多くの皆さん、明日の午後二時には西の方へパワーを送り応援して下さい。」

私は、オヤ？と思いました。少しトーンが弱くない？選手の体力がなくなってきている？準決勝まで破竹の勢いで充実していたのにどうしたのと思いました。監督の言葉は少々気になりましたが、深刻には受け止めませんでした。その夜から、何度も西の方角へ両手を伸ばしてパワーを送りました。


八月二十三日になりました。私は一人でテレビを見るのには耐えられず、バスに乗りNHK仙台放送局に行きました。

ここでは一時五十分から決勝戦、そして閉会式の模様を、二百八十インチの大型テレビ画面で公開放送されます。入場は誰でもできるとのこと。今年はNHK仙台の放送局で大勢の人と応援したいと思ったのです。NHK仙台放送局の一階入口正面は多くの人々で埋まっていました。百二十席位はあるのでしょうか、その席はすでに埋まり、それを囲むようにコの字に大勢の人が立ってスクリーンを見ています。

雰囲気がおかしいナ？もしかして負けている？　と思いました。画面を見ると、3対0で、育英は0でした。逆転の育英だよと思い、まだ大丈夫だと思いました。育英がナイスキャッチをしたり、バッターが打つと、オーッと地鳴りのような声が上がります。拍手が響きます。スクリーンには選手たちが大写しになり、まるで甲子園球場にいるような臨場感がありま す。そして、大勢の人々のどよめきが。一人で自室の小さなテレビで観ているのとは全然違うな、来て良かったなと思いました。

それにしても、立っている人の多いこと。自由な身動きははばかられる程です。私は次第に立っていることに疲れてきました。育英ナインに爆発的な力が見えず、投げては打たれ、バッターはなかなか塁に進めません。そして、5点追加された所で、私は会場を出ました。勢いは圧倒的に慶応側にありました。相手チームの応援団が球場をおおい尽くし、威圧的でもあります。試合は8対2で慶応の勝利でした。

私は育英ナインが負けるとは思っていなかったのでショックを受けました。その夜は寝苦しく、夢にうなされました。

二十四日になり、少し気持ちが変化しました。一番ショックなのは育英選手であり監督なのだ。監督が「選手たちの体力がなくなってきている。パワーを下さい。」と言ったのはポーズではなく本当のことだったのだ。それでも選手たちは必死に闘ったのだ。結果的に連覇はできなかったけれど、プレッシャーとも闘い決勝戦に全力を尽くしたのだ。立派だよ、ありがとうというように変化したのです。

須江監督の言葉がテレビで流れました。

「人生は、勝つことは少なくてほとんど負けることの連続。しかし、そこから学ぶことは多い。(今回の決勝戦には)悔いが残ったが、その悔しさをバネに次の挑戦へつなげていきたい。」

やはり、言うことが心に浸みる男だなと思いました。

二十四日は気温34.2度の暑い日でした。私は外出しませんでした。午後の三時に昼食の用意にキッチンに行き、何気なく東の窓から近くの育英校舎を眺めました。大型観光バスが次々と育英高校の校舎前の駐車場に入ってきています。オッ？ と思いました。

私が数えたバスの数は六台。応援団や選手が甲子園から帰ってきたのだなと思い、ランチのことは忘れて、窓の外を眺め続けました。バスの後に乗用車が続きます。人の動きが多くあります。

私は疲れて時々別室で休みながらも、育英の動きを眺めました。

五時四〇分、正門の並木路に街灯がポツポツと二列に灯りました。五時五〇分、観光バスが次々と出て行きました。乗用車の尾灯も見えます。暑い日差しも傾きました。

育英の熱い夏は、今、終わったのです。私は、地元住民として、キッチンの窓から手を振りました。ありがとう、全力で闘ったのだから、それでいい。昨年は優勝、今年は準優勝。輝かしい記録はうち立てたのです。昨年の優勝はまぐれではないと証明したのです。

私は、この地で、東の窓から何を見つめているのでしょう。人の世の出来事を見、人の世の人を見つめているのだと思うのです。

今回も、私は短歌をたくさん詠みました。次の一首は、その中の一つです。

●健闘の球児に恥じざる熱あれよ天寿百年の世を見てみたし　令和五年

須江監督の言葉がテレビに流れました。

「優勝した昨年よりも負けた今年の方が、出迎えの人が多い。仙台は温かい街です。」

私は、温かい人間になっているでしょうか。

24　ストレスがあると美味しくなる？

「ストレスがあると里芋はおいしくなる。」

テレビから偶然に聞こえてきた言葉に立ち止まりました。

ん？　どういうこと？

番組を視聴しました。

「砂地だと水ストレスで、かえって芋はうまくなる。

茎や葉を伸ばす働きをするエネルギーをストップさせ、そのエネルギーを芋に蓄えさせておいしくなる。

砂地だと、水ストレスという条件を与えやすい利便性があり、砂地での里芋栽培が普及してきた。」

農家の人が話します。

「水ストレスを与えつつも枯らさないように気をつけます。二〜三時間おきに水を与えています。」

環境の中で工夫し、手間をかけている技と工夫がありました。

里芋は、人類を救うとのこと。食糧危機を解決できるとのこと。それは、水陸両用で栽培できる強みにあるとのこと。里芋は盛んに肥大して、子いも、孫いもをたくさん作ります。

里芋にはたくさんの料理法があります。葉柄は皮を剥き天日干しにし、ずいきとして食用にします。

葉は水を弾き大きいので、お盆の時に供物を載せて供えます。お盆の時のお供えは、一日目は何、二日目は何と決まっていて、母が供えていました。里芋に捨てる所はないのです。

子いもや孫いもはつるつるして触感が好ましくおいしいです。親株は子いものようにつるつるはしませんが、存在感のある食感で私は嫌いではありません。

ストレスを与えるとおいしくなる野菜には、他にどんなものがあるのでしょうか。スマホで調べてみました。

「ストレス社会と言われる現代、人間はストレスがあまりに多いと体調を崩す。それは植物も同じ。ストレスフルな環境では野菜も元気に育たない。

元気に育てるには、野菜のストレスを減らし、性質に合わせて栽培をすることが大切。単にストレスを与えるだけの方法ではない。ストレスを減らすことも重要なテクニック。

例えば『土が合わない』『気候が合わない』『水分や養分が足りない』。これらは、生育を妨げるストレスなので避けなければならない。ただし、ノンストレスだからといって良いわけではない。

野菜の生育の目的はタネを作ることなので、恵まれた環境だと植物は健全に生長し株を大きくしていく。こういう状況では危機感がないため花や実をつけようとしない。だから『摘芯』『根切り』という栽培テクニックで植物に危機感を与え、生長に使っていたエネルギーを花や実づくりに使うように仕向ける。」

そうか、「摘芯」「摘芽」「根切り」も水ストレスを与えることと同じ意味なのかと分かりました。

トマトを育てた時、脇からの枝を摘みました。ジャガイモを育てた時は親いもからたくさん芽が出ますが、太くて強そうな芽だけ二〜三本残して残りは欠き取りました。危機感というストレスを与えて実を太らせ多くするテクニックだったのかと思い返しました。

「ストレスを与える」ということを人間にあてはめたらどうなるでしょうか。

「ハングリー精神」という言葉があります。ハンディがある方が、そこから抜け出そうとして奮起して成功するという喩えでしょうか。

「可愛い子には旅をさせよ」という言葉もあります。

「本当に可愛いなら、甘やかさず世の中の辛くて苦しい現実をつぶさに体験させた方が強く成人する」

ということわざです。

同じ意味で「獅子の子落とし」という言葉もあります。「艱難汝を玉にす」「苦労は買って出よ」も。また、「親の甘いは子に毒薬」もあります。

なんだか、どの言葉も苦しいなと思いました。苦労しなくても順風満帆もありましょう。

「君子危うきに近寄らず」「火中の栗を拾う」「触らぬ神に祟り無し」もありますが、これは、余計なことに首を突っ込まずに慎重に行動せよという別の意味になりましょうか。

人間の神経はとてもデリケートです。ストレスが大きすぎると精神を病んだり、命を縮めることにもつながります。

そのため、私たちは「キラーストレス」には気をつけます。

植物も人間も、うまく生きるのは大変です。ストレスを小さく抑え込んでうまく共生していくしかないのでしょう。

胸が苦しくなってきましたので、私にもできそうな里芋料理を記して気分を変えたいと思います。

■ 里芋の揚げあんかけ
・ 里芋をゆでて、油で揚げる
・ 挽肉を使いあんかけを作り、里芋にかけて熱いうちに食す

■ 里芋の春巻き
・ 皮付きのまま水で二〇分煮てもちもち感を出す
・ 皮を剥き薄く切る
・ 青ジソの上に乗せ、チーズと共に春巻きの皮でくるみ、油で揚げる

命があることに感謝し、体が喜ぶものを作って、気分を明るく暮らしましょう。私は次のように詠み、心に微笑みかけました。

25　あなたはツラの皮が薄いのです。　えっ？

要するに、赤ら顔ってこと？

三年前からおでこの中央に赤い点々が。次第にその範囲が広がってきました。厭だな。おでこはマスクで隠せないもの。額が赤い人なんて見たことないよ。皮膚病？　広がるの？　他人にうつるの？　とにかく、見た目が悪いよ。不快感を与えてしまう。なんとか治療して白い美しいおでこに戻さなくっちゃ。

私は近くの皮膚科へ行きました。

白髪のやさしそうな目のおじいちゃん医師でした。

おじいちゃんということは、経験を積んでいろいろな患者さんを診察してきたことでしょう。大丈夫だなと期待しました。

私のおでこを見て老ドクターは言いました。

「赤いね。薬をあげるから朝晩塗りなさい。」

「家族や人にうつりますか？」

「うつらないよ。」

「これは何ですか。黴ですか、菌ですか、ダニですか?」

老ドクターは答えません。

聞こえないのかなあ。立っている看護婦も何も言いません。

私はすごすごと、診察室を出ました。

病院の向かい側に薬局があります。私は処方箋を出しました。薬剤師は若い人でした。私は同じ質問をしました。

「これは何?黴?菌?ダニ? 皮膚ガンじゃあないですよねえ?」

「先生は何と言いましたか」

「質問したけど、答えはないのよ。」

「先生に聞いて下さい。これを洗顔後に塗ってください。」


その皮膚科に丸々三年間通院しました。

ちっとも良くなりません。ますます赤い範囲が広がります。痒みも時々感じます。顔なので気になります。

「先生、ますます広がって痒いのです。」

「塗り薬を変えましょう。それを塗って、又、来て下さい。」

「先生、これは何ですか？　黴ですか？菌ですか？　ダニですか？　アトピーですか。」

やはり、答えないのです。

直したい一心で三年間通院しましたが、次第に失望感が湧きました。別の医院でも診てもらいたいと思い、スマホで検索しました。

ありました。

令和四年の十二月二十一日、私はバスに乗り四つ目の停留所でおりました。女医さんでした。ベテランの円熟した年齢でパリパリと話します。

女医さんは私のおでこを目視しました。

「薬を出しますから、朝晩塗って下さい。」

「先生、この赤いのは何ですか？　黴ですか、菌ですか、ダニですか。」

「………。」

「他人にうつりますか？」

「うつりません。」


この赤いのは何だろう。

今回渡されたのはゲル状の塗り薬でした。ゲル薬はすぐに乾燥します。おでこが干したミカンの皮のようにカサカサとなり、痒くて、ヒリヒリして皮膚がボコボコ腫れてきました。

なんとも辛いのです。おでこの皮膚が白い粉のように剥がれ落ちます。我慢できなくなって、医院に行きました。女医さんは言います。

「あれは一番いい薬なんですよ。もう一週間だけ我慢して塗ってみて下さい。」

一週間は長かったです。お猿さんのおでこのようになりました。女医さんは言います。

「あの薬が一番いいんだけどなあ。あなたには効かない。薬を変えます。」

今度は、白い軟膏でした。

朝晩きっちりと塗りました。ひりひり感や、痒み、腫れが次第におさまってきました。しかし、やっぱりポツポツ赤いのです。範囲が縮小することはありません。

この間に帯状疱疹を発症し、一ヶ月間激痛にもがきました。

二月十五日、再び皮膚科へ行きました。おでこは赤いままです。劇的変化はないのです。

先生は拡大鏡で私のおでこを診ました。

「これは、病気ではありません。顔の皮膚が薄くなって毛細血管が見えるようになったのです。年をとるとこのようになる人がいます。ゲルの薬は赤味をとる効果がありますが、あなたには効かなかった。軟膏は傷ついた皮膚を治すために処方しました。もう治りましたから軟膏を塗る必要はありません。あなたの顔の皮膚は薄いのです。これ以上赤味が消えるということはありません。このままです。」

「死ぬまで赤いおでこのままってことですか。」

「レーザーを当てて、赤味をとる方法はあります。」

「痛そう、怖いな。レーザーはいいです。病気でないなら安心しました。大らかに付き合っていきます。」

帰路にはもやもや感は消えました。

そうか、これも私の老化の一つの現象なのか。老化ならしかたがないな。受け容れていくしかないな。

この答えを聞くまで三年二カ月かかりましたが、私の心はすっきりしました。


他人は言っているかもしれません。

「上林さんって、ツラの皮厚いよね。」

実際は、毛細血管がもろに見える程に薄いのよ。

誰か言っているかもしれません。

「上林さんの心臓、毛が生えているんじゃないの？」

実際は、冠動脈血管拡張剤のテープを胸に貼っているのよ。

年齢を重ねるにつれて、生体は思いもよらない反応を呈してきます。右耳が遠くなりました。三年前には白内障と言われました。膝や腰が痛み長く歩けなくなりました。記憶力も減退してきました。

人間はこのようにして徐々に、自分の体に諦めをつけながらこの世に別れを告げる自分を承認していくのでしょうか。

いいじゃないですか。私はもうすぐ七十八歳の誕生日が来ます。父は四十七歳で病死しました。

医者である斎藤茂吉でさえも、晩年の自分をこう詠みました。

○ 茫茫としたるこころのなかにゐてゆくへも知らぬ遠の木枯し　　斎藤　茂吉

茂吉は七十歳と十一ヶ月で没しました。私の茫茫たる心地は、どのような世界なのでしょう。人間の体も心もおもしろいなと思います。そして湧きくる思いを次のように詠みました。

● 子や孫に何か良きことしたろうか答えは出ねど弾みて生きん　　令和四年

26 「旅を生きる力へ」 なるほど！

余命いくばくもない身、身動きできない病気の身。普通ならば「旅に出掛ける」は到底思いもよらない人々がいます。たくさんいます。ところが、「家族に見守られ思い出の地へ旅する」という夢の実現を支援する活動に取り組む若き医師がいるとのこと。どういうこと？ 私は興味をもちました。

令和五年二月十八日、NHKBS1「ザ・ヒューマン」のドキュメント番組「旅を生きる力へ　伊藤玲哉医師」が放映されました。病状に合わせて旅を計画し、寄り添い、介護と介助をしながら不可能と諦めていた患者やその家族に旅の実現を推進し、生きる力、生きる希望へとつなげていく活動を追ったものです。番組で放送されたことを手がかりに、私の思ったことを記したいと思います。

伊藤医師の言葉

「人生の最後まで希望を失わずに生きてほしい。」

伊藤医師の目ざす医療とは、具体的にどんな内容なのでしょう。また、なぜこのような道に進むことに思い至ったのでしょう。この二点について、私は知りたいと思いました。

一、なぜこの思いに至ったのか

きっかけは、医療現場で見てきた現実の姿だったとのこと。国内で一年間に百四十万人が亡くなり、その七割は病院で最期を迎えます。リスクを減らすために患者の自由を制限する措置を取らざるを得ないこともあったといいます。患者本人も、多くのことを諦めてしまいます。

そして患者は言うのです。

「早く死にたい。」

ところが、ある日、ポツリと患者がつぶやいた言葉を伊藤医師の耳がとらえたとのこと。

「旅に行きたい。」

伊藤医師には、「行きたい＝生きたい」に聞こえたといいます。

病院では腫瘍を切除する、薬で進行を遅らせる、苦痛を緩和させるという治療がメインとなります。医師として患者を救いたい、助けたいと思う程、それは違うと言われているような気がしたといいます。

本人の望まない延命治療をするのではなく、本人の希望を叶え、支えて生きる力につなげていくことが、今、自分ができる事なのではないかと考えるようになったのだそうです。

「病院とか家とかでは叶えられないその人のやりたい事、その人の生き方を応援したい。そのことを『旅行』という形で処方したい。心の奥底にある願いを諦めなくていいんだよと言いたい。」

伊藤医師は、さらに、次のように言うのです。

「何かあったらどうするの？万が一のことがあったら危ないって言うけど、一万通りの危ないがあるなら一万通りの対策をすれば叶うと僕は思う。」

そして立ち上げた「トラベルドクター株式会社」。看護師や理学療法士など、スタッフとの連携を深くして活動をしているといいます。

なる程と思いました。

二、旅の実現の実際
◆ガン末期のAさん
「プロポーズした思い出の地を巡りたい。妻と出会った頃の思い出のたくさん詰まった場所へ行きたい。」

伊藤医師は、Aさんの家族や主治医の同意を得て、三日間の旅の計画を立てました。

ストレッチャーのまま乗れる特別仕様車で思い出の地を巡り、ソフトクリームを食べ、プロポーズした喫茶店でドリンクを飲み、ホテルに二泊し、笑顔で妻と写真を撮りました。

Aさんは言います。

「トイレへも一人で行けない状態になると、あゝしたい、こうしたいという思いはすっぽり抜けて浮かんでもこない。でも、手助けしてくれる人たちがいたおかげで、旅ができたことは本当に幸せでした。」

Aさんは、この旅の二ヶ月後に安らかに永眠したとのこと。

◆パーキンソン病で二年間入院していたBさん

この旅は、Bさんの娘さんからオファーが来たといいます。

娘さんは言います。

「幼い頃、家族でよく遊んだ思い出の海岸へ母を連れていきたい。」

そこで、病院から特別養護老人ホームへ移る日を利用し、三〇分間だけ浜へ連れていく計画が立てられたそうです。

娘さんやBさんの姉妹がとり囲みます。

「私が分かる?」

「海がきれいよ。」

「パンを食べる?」

その話し掛けに対して、Bさんの表情がかすかに緩みます。

「あゝ、笑った、笑った。」

一同笑顔の写真が、美しい波打ち際を背景にして撮られました。

◆出発直前に亡くなったCさん

朝になったら出発という真際に亡くなったCさん。

家族は遺影を胸に行く筈だった地を巡ります。そこにも伊藤医師は付き添います。

家族は言います。

「四十九日前に、お父さんをここに連れてくることができて良かった。喜んでいると感じる。」

Cさんの妻は言います。

「一日でも一時間でも楽しく安心して幸せになってほしいっていうスタッフの気持ちが私の心にずうっと残っていて、今日はだめでも明日はちゃんと生きようって元気になれる。患者の夢を叶えるだけでなく残された家族にとっても、すごく心の治療薬になっている。」

そして、更に次のようにもCさんの妻は言葉を続けます。

「末期患者でリスクが高いと判断する時も、勇気と思いやりを持って患者を見送っていただきたい。」

「トラベルドクター」では、二年間に三十組の旅の夢を叶えてきたといいます。温泉に入りたい。娘の結婚式に出たい。妻に会いたい。水族館へ行きたい。

クラウドファンディングの受注や医療従事者からの支援を集めながら、「トラベルドクター」の活動は続きます。

このドキュメントを視聴して思いました。医学の使命は重層的に拡大できる。諦めないで自分の望みを表明することが大事なのだ。このような支援があれば、一筋の光のように終末期を幸せに過ごすことができる。

私も、心をねじ曲げず、人の善意を信じ、心が望む声を聞きながら、最後まで「生きる」を愉しみたい。

このドキュメントは、まさにヒューマンドラマです。人間って、すばらしいなと思いました。目を開き、耳を傾け、心を拡げれば、この世には美しいものがたくさんあると私は感動したのです。

私は、特にこの五年間程を姉や弟二人、息子、娘に助けられてきました。息子や娘、孫たちの存在は私の希望です。姉や弟二人は私が生きる上で抱える苦悩を、具体的に支えてくれます。私が行きたいと思う所へ連れて行ってくれます。その時間は私の心と体を癒します。

これまでの私の思いは、「迷惑をかけては済まない」という思いでした。しかし、「これからは、助けてもらいながら溌溂と生きよう、ありがとうね。」という思いに変わりました。私は穏やかな気持ちで次のように詠みました。

●「支援うけ車椅子にて富士登山」そんなニュースが夢を広げる　令和五年
●「旅を組み生きる力へと処方する」ヒューマンドクターが日本にいる　〃

27　ドラセナと共に

部屋に観葉植物「ドラセナ」を置いています。

部屋に緑があるとホッとします。植物の生命力に元気をもらえるから。生き物がいるという安らぎ。ホームセンターから八千円で購入し、引っ越した新しい部屋において毎日眺めています。

ドラセナは美しい。茗荷の葉に似た大きな流線型の三十六センチの美しい葉。熱帯に多く分布し、約百六十種があるといいます。私のは「ドラセナ・ジャネットリン」という名称。木の丈は百五十センチ程に生育しました。

購入して三年目の十二月につぼみが五つ出てきました。初めて出てきたのでびっくり。一本の木の先に一つずつつぼみを宿しています。木は七本あります。全部の花を咲かせたら弱ると思い、四本の木のつぼみは早々に切りとりました。一本だけ残し観察することにしたのです。

つぼみの茎はどんどん伸び、それに合わせてブドウの種のような形のつぼみが、栗のイガのようにポコ、ポコと増えてきます。花の茎が二十八センチになり、ポコポコ一つのイガのような形についている一つのかたまりに、つぼみは二十五～三十ヶずつあり、十二ヶのかたまりがあります。ですから一本に全部で三〇〇ヶ位のつぼみ。花が咲きました。香水のようにいい香りが強烈に部屋に満ちます。花は白く、花びらはカタクリのように外側に反り返り、長いおしべが六本、触手のように放射線状に開きます。小さい花で一日花。次々に咲くのです。昼も夜も次々に咲くのです。

花が咲くとは思ってもいませんでしたので、感動してしまいました。毎日観察しました。何しろ咲く花の数が多くて、芳香で目も鼻もちかちかして、窓を開けないではいられない程でした。花は十二月十四日から十二月二十四日まで続きました。

ドラセナはめったに花が咲かない植物といいます。四年に一度くらいに花が咲けば、木は終焉を迎えるといいます。そうか、終わりが近づいている木なのだなと感慨深く思いました。一週間毎にたっぷりと水をやり、一カ月に一度植物栄養剤を与えました。いつまで一緒にこの部屋にいられるのかと毎日眺めたのです。フワフワの綿のようなタネがたくさんとれました。

一年が過ぎた令和四年の十一月十五日に、又、ブドウの種のような形のいがぐりのようなつぼみが現われてきました。

アレ、一年で又花咲くの?すごいと思いました。つぼみをちりばめた茎はぐんぐん伸びてきます。昨年の暮れに花を観察した同じ木です。すごい生命力。三本の木に付きました。二つを切り、一本だけ今年も育てることにしました。昨年とは違う木です。同じでは弱るのではと思ったので。

切ったつぼみの枝は水にさしました。これも、観察対象になるのです（十一月二十一日）。

〈十一月二十三日〉

一つ残した蕾の茎が十七センチになりました。一本の茎につぼみが栗のイガのように丸く点点と群がってついています。その数が、六個になりました。先端の群がりが一番多く、蕾の一つ一つのサイズも大きいのです。

水さしの蕾の茎からは、蕾がパラパラとこぼれ始めました。あまり水を吸い上げない様子。心配です。

〈十一月二十八日〉

蕾のついている茎、二十五センチ、一つ一つのつぼみが大きく、長くなってきました。五ミリ。水さしの方の蕾は皆、茶色になってポロポロと散ってしまいました。

〈十二月三日〉

花が三つ咲きました。非常にいい匂いがしてきたことで咲いたなと気づいたのです。夕方、数えきれない程に花がひらきました。二十七センチ。

花は次々と咲き、いい香りが漂います。

香りは続き、十日程して消えました。

令和五年になりました。ドラセナの木は青々と葉が茂り元気です。三年連続で花が咲くでしょうか。葉に夏の日差しが当たると葉は弱り、先端が枯れます。薄いカーテンで日差しを遮っています。私一人しか眺めないのに、ドラセナは健気に葉を茂らせ花を咲かせます。ドラセナにとって心地いい環境なのでしょうか。

令和五年には一つの蕾も花も生まれませんでした。枝の先端の葉に艶がありません。何かが起きているように感じて気になります。頑張れ、頑張れと私はドラセナに話し掛けます。そして、次のように詠むのです。

●終焉は命どれにもあるものを永久(とこしえ)なれと見つめ見つめらる　令和五年

私は、ドラセナの命と私の命とを見つめて生きているのです。

28　戦争のなかの芸術家

令和五年四月三日、映像の世紀バタフライエフェクト「戦争のなかの芸術家」の放送がありました。ドイツ、ソビエト、日本の芸術家の生涯が取り上げられていました。

ヒトラーの時代、世界屈指のオーケストラ「ベルリン・フィルハーモニー管弦楽団」の指揮者ヴィルヘルム・フルトヴェングラーがその一人。彼は亡命をせずヒトラー政権下のドイツにとどまり、音楽活動を続けました。その音楽は民族の優越性を主張するヒトラーに利用されます。フルトヴェングラーは語ります。

「何らかの地位についているドイツ人は、最後までその地位にとどまる意思があるかという問いの前にたたずんでいる。答えがイエスなら、実際上現在の支配政党に妥協していかなければならない。」

同じ時代、ソビエト連邦共和国の芸術家たちも苦悩していたとのこと。二十世紀を代表する作曲家ドミートリ・ショスタコーヴィチもその一人。スターリンに疑問を抱きつつも作曲を続けるために国家に忠誠を誓います。ショスタコーヴィチの言葉。

「ファシズムと闘い、その勝利を信じて故郷のレニングードにこの作品を捧げます。」

日本では、数多くの作家たちが従軍作家として戦場に送り込まれました。その一人に、火野葦平がいました。

彼は「麦と兵隊」三部作で戦争を賛美する作品を残し、戦後の日本でその責任の重さに苦しんだといいます。

火野は言います。

「祖国の危急の前に貧しい私の力のありたけを捧げねばならぬと信じました。この私の愛国の情熱が誤謬（ごびゅう）であるといわれれば、もはや何も申すことはないのであります。」

「多くの芸術家たちが国家とどう対峙し、どう折り合いをつけるのか、葛藤の中にいた。」と、ナレーターは言います。

ウム、重いテーマだな。これはしっかり視聴し、記録したいと思いました。戦争の時代でなくても、平時であっても人は内面に苦悩を抱え、日々葛藤しながら生きています。どう折り合いをつけ、どう生きるか、それはどの時代でも誰にとっても共通のテーマだからです。私は視聴しながら、ナレーターの言葉や、字幕に映し出された芸術家たちの言葉を記録しました。

以下、放送に従い、私の心に浸みたものを書き出します。

当時、ドイツのフルトヴェングラーと人気を二分した指揮者に、イタリアのアルトゥーロ・トロスカニーニがいました。二人の考え方は対極的なものでした。

トロスカニーニは言います。

「今の世界情勢下で奴隷化された国と自由な国の両方で同時に指揮をすることは、芸術家にとって許されることではありません。」

フルトヴェングラーは言います。

「音楽はゲシュタポも手出しできない自由な広野へ人間を連れ出してくれるのです。私が偉大な音楽を演奏する、それがたまたまヒトラーの支配する国で行われたからと言って、私がヒトラーの代弁者だということになるのでしょうか。」

トロスカニーニの言葉。

「第三帝国で指揮をする者は、全てナチです。」

フルトヴェングラーの言葉。

「では芸術は、たまたま政権を握った政府のための宣伝に過ぎないというのですか。絶対に違います。芸術は政治とは別の世界に存在するのです。」

第二次世界大戦が始まると、フルトヴェングラーはベートーベンの交響曲第九を演奏します。「ヒトラーの第九」として大好評を得ましたが、一方、反対する者もいたのです。抗議ビラには、「フルトヴェングラーは、ナチ国家に支配された音楽の役人だ。奴隷根性の代表。」

ナチ政権から亡命した作家トーマス・マンは言います。

「フルトヴェングラーの悲劇的な無知。彼はナチズムの本質を把握できない無能だ。演奏家としての生活を純粋に保つこと以外は何も考えていない。」

フルトヴェングラーはドイツにとどまり続けました。ベルリンフィルのメンバーは徴兵を免除されました。フルトヴェングラーの言葉です。

「亡命しようと思えば出来ただろう。そうすれば国外からナチスを批判することも出来ただろう。しかし、私の使命はドイツ音楽を生き延びさせることだと考えた。ドイツの演奏家たちとドイツ人のためにドイツ音楽を演奏し続けること、これを前にしては演奏がナチの宣伝に使われるかもしれないという懸念は後退していった。」

ソビエトのスターリンの時代、天才的な作曲家が彗星のように現れました。二五歳のドミートリ・ショスタコーヴィチです。彼はモーツアルトの再来とたたえられたそうです。

交響曲第五番「革命」

独ソ戦争が始まり、ドイツ軍がレニングラードに迫ります。ショスタコーヴィチは、新たな曲「交響曲第七番『レニングラード』」を作曲します。そして彼は言います。

「我々の芸術は、ファシズムを糾弾し憎しみに火をつけ、芸術によってナチズムの本当の顔を暴き、兵士たちを鼓舞しなければならない。これ以上に崇高な任務はない。『全てを前線に』というスローガンが、日々の芸術活動の目標になるべきなのだ。」

政権下で活動するフルトヴェングラーとショスタコーヴィチ。二人の言葉は似ているようで似ていないなと感じました。前者は政権下であっても芸術の独立性を唱えています。後者は政治と芸術活動は一体となるべきと唱えています。後者は危ういなと思いました。

ショスタコーヴィチはこうも言っています。

「ファシズムは、単にナチズムを意味するのではありません。この音楽（「レニングラード」）

は、恐怖、屈辱、魂の束縛を語っているのです。ナチズムだけでなく、今のソビエトの体制を含むファシズムを描いたのです。」

しかし、この言葉は公にすることはできなかったとのこと。後からとってつけた弁解のようにも取れないでしょうか。

どの写真、どの映像でもショスタコーヴィチの表情は硬く、暗く、陰鬱でさえあります。あのスターリンでさえ不気味ではあっても微笑している写真があるのに。彼の心は幸せだったのでしょうか。

火野葦平は、アメリカの取り調べを受けました。火野の小説はおおむねヒューマニズムに貫かれているが、戦争を賛美したことは疑いないとされ、公職追放となりました。二年後、一万余名が追放解除となり火野ものその中に含まれました。しかし、その後の火野は復員兵たちから戦中の行為について容赦ない批判を浴びたといいます。火野は「革命前後」という小説で、辻という主人公を自らになぞり、戦争責任に苦悩する自らの姿を記述します。

「辻さん、あんた敗戦の責任を感じとるでしょうな？あんたはわしら兵隊の王様で、あんたほどええ目におうた人はないからね。

わしら兵隊は一銭五厘のハガキでなんぼでも集められる消耗品じゃったが、あんたは戦地で文章を書いて大金儲け。『麦と兵隊』の印税で家を建てたとか。たいそう景気のええ話じゃ。

辻さん、敗戦についてのあんたの責任は小さくはないですよ。わしら、あんたに騙されて戦うたようなもんじゃ。」

火野は「革命前後」を書き上げると自ら命を絶ちました。睡眠薬自殺。五十三歳。

戦後、戦争に協力したとして糾弾された芸術家は多くいます。高村光太郎は岩手県花巻に七年、斎藤茂吉は生誕地山形県上山市金瓶に疎開しました。何からの疎開か。それは戦後の責任を問う世の批判からの避難の比率が大きいと思わずにはいられません。それでも、この二人の最晩年は不幸ではありませんでした。

火野葦平は、「麦と兵隊」で書いています。

「多くの兵隊は、妻を持ち子を持ち肉親を持ち仕事を持っている。しかも何かしらこの戦場に於いて、それらのことごとくを容易に棄てさせるものがある。私は愛する祖国の万歳を声の続く限り絶叫して死にたいと思った。」

この文章は、軍の政権にとって歓迎すべきものだったのではないかと思いました。戦争を美化しているようにも取れるからです。

戦後、芸術家たちは戦争責任を厳しく問われました。フルトヴェングラーは、一時、当分の間、活動禁止となります。しかし、ユダヤ人演奏家たちを守ったことなどが評価されて無罪になります。そして、ベルリンフィルの指揮者に復活。

海外での演奏活動も行ったが、「音楽家たちがフルトヴェングラーを拒否（アメリカの新聞）」「フルトヴェングラーはいらない（ユダヤ系の新聞）」として、ナチ協力者と見なされることに変わることはなかったそうです。フルトヴェングラーはそういう戦後を生きました。

ショスタコーヴィチは、戦勝国ソビエトの一党独裁政権の続く祖国で戦争責任を問われることはありませんでした。スターリンの存命中は海外へも頻繁に出かけ、祖国の社会主義国をアピールする役割を担っていたそうです。しかし、スターリンの死後に作曲した交響曲第十番はスターリンの偉業を称える曲ではなく、暗く陰鬱な特徴だったとか。

国家と表現の自由との間で葛藤を続けた彼は、言葉を選び次のように語ったとのこと。

「いったい、我々ソビエトの芸術家は自分の芸術をソビエトの社会体制から疎外することができるだろうか。我々はすべて時代の子にほかならず、それと切っても切れない関係をもっている。国家の運命が常に自分自身の運命でもあるというのが、ソビエト芸術家の最も重要な特徴である。」

ショスタコーヴィチの抱え苦しんだ葛藤は、今も多くの芸術家が抱えている、とナレーションの声。

二〇二二年のウクライナへのソビエトの侵攻。世界は自国の侵攻を批判しないロシアの芸術家たちをしめ出そうという動きが広がったとか。

「スカラ座はプーチンのプロパガンダを支持しない。」（イタリア）

ウクライナ侵攻への批判を求められて沈黙を守っている芸術家も多いとか。

芸術家は過去とどう向き合うべきか、このことを強く問う映像があるといいます。エルサレム。ユダヤ人指揮者ダニエル・バレンボイム。バレンボイムは十一歳の時、フルトヴェングラーに才能を認められ音楽界に羽ばたいた人物。以来、フルトヴェングラーを師と仰いでいたとか。予定された演目を全て終えたバレンボイムは、観客にある提案をしたという。

「ここにワーグナーの『トリスタンとイゾルデ』の楽譜があります。演奏するかどうかを決めるのは観客の皆さんです。」

会場は騒然となりました。

イスラエルには今もワーグナーをナチスの象徴と考える人は多いのです。演奏反対者は叫びます。

「おい、バレンボイム！ワーグナーを裏口から入れるのと同じだぞ。こんなやり方は不当だ。」

バレンボイムは応えます。

「この中に聴きたくないという方がいらしたら、私は静かに立ち去ります。」

観客の声。

「ダメ。そんなことをしたら少数に屈することになる。」

演奏を認めるか否か三十分間にわたって観客同士の議論が続きます。

「お前はファシストだ。」
「私に聴かないことを強制するのか。プログラムは終わったんだからお前が出て行けよ。」
「演奏をやめろ。大ばか者」
「出て行け。」

結局、反対派は会場を去り、演奏を決行。バレンボイムは演奏を決行した理由を次のように語ったといいます。

「ワーグナーの音楽を聴いておぞましい連想をする人もいるでしょう。そうした人々に聴くことを勧めるべきではありません。それは当然のことです。しかし、おぞましい連想をする人たちは他の人々から音楽を聴く機会を奪う権利があるのでしょうか。私はそうは思いません。私はただ心から音楽を演奏するために来ました。」

フルトヴェングラーは一九五四年、六十八歳で世を去りました。死の二ヶ月前までタクトを振り続けたそうです。戦時中、ドイツで演奏を続けたことを、彼はこう振り返って言っていたとか。

「あのような時期に立ち去ることは恥知らずな逃亡でありました。所詮私はドイツ人なのです。およそナチスのテロのもとで生きていかねばならなかったドイツ人ほど、ヴェートーベンによる自由と人間愛の福音を必要とし、待ち焦がれた人々はいなかったでしょう。外国でどう考えられようと私は、自分がドイツ国民のためにしたことを悔やんでいません。」

この番組を視聴して、いろいろ考えさせられました。

今回取り上げられた三人は時の権力者である政府にとって都合のよい活動家であった人々です。

時の権力の支持があれば、地位も名誉も思いのままだったでしょう。プロパガンダに利用されると分かっていても、それを良しとした人々とも言えましょう。戦後、どのように言いつくろっても受け入れられない程の大きな影響を政権側にも国民にも、他民族に対しても行ったと言わざるを得ません。

あの時代、ナチに協力することを拒み亡命した人々は多くいます。トーマス・マン。アイン・シュタイン。オッペンハイマー。地位も財産も奪われ命さえも失いかねない危険の中で、決然と亡命した人々。彼らには亡命して受け入れられる国があり、その国で果たす仕事もありました。

では一般国民はどうでしょう。金もなく、喜んで迎えてくれる程の才能も特殊技能をも持ち合わせていない人々。そういう人たちは戦場にかり出されバタバタと死んでいきました。私があの時代に生きていたら、バタバタと死んでいく側に分類されます。

当代随一と言われるような一流の芸術家たちには、一流ゆえに他に及ぼす影響の大きさを自覚しなければならないでしょう。誰かに利用されて、結果的に人々を苦しめ、命を危うくさせることにつながるならば、やはりそれは絶ち切る意思が働くことが望まれます。

今回の三人を思うと、〝功名心〟を捨てきれなかったのかなと思うのです。あの時代はそういう時代だったのだからしかたがないとは言えないのです。むざむざと殺されていった六百万人のユダヤ人の無念さ、中国の原野で兵隊として召集されて死んだ私の叔父、悲哀は常に弱者が受けます。

人間の社会は、実にきな臭い。絶えずどこかの国で戦争が起きています。この地球上で戦争の全くない時代があったでしょうか。

決して過去の時代のことではないのです。その時、私や、あなたはどんな行動をするのでしょう。誰にも分かりません。分かりませんが、私は、納得できない理不尽な力で命を奪われることにだけはなりたくないと思うのです。

29　蝉の初鳴き

私は都会の中央部に暮らしています。しかし、近くには大きな公園がありますし、橡や公孫樹の並木もあり緑豊かです。

毎年、七月下旬頃、蝉の初鳴きに遇います。この初鳴きをキャッチすると、いよいよ夏本番だなあという思いが迫ります。

令和四年の初鳴きは七月二十七日でした。令和五年の初鳴きは七月二十二日でした。今年は少し早いなと思いました。

蝉の種類は主にミンミン蝉ですが、たまにツクツクホウシも響いてきます。周辺部では、もっと早い時期から鳴き出すかもしれません。

とにかく、都会の真ん中でよくぞ生まれて来てくれたと嬉しくなります。

近くの公園を散歩しますと、蝉の抜け殻をいくつも見つけます。

気がついたことがあります。

鶯の鳴き方は、最初は笹鳴きでたどたどしく、やがて成長し流れるような見事な鳴き方に変化します。

私のキャッチする蝉は、最初から堂々と力強く完成された鳴き声であり、鶯とは違うなと思います。

毎日同じことの繰り返しで変化がない身を、この突然に近々と鳴く蝉の初鳴きは、気付け薬のように心をシャキッとさせてくれます。

私は次のように詠みました。

● 同じこと流れる日々に初蝉のミンミンの声ガツンと来たり
令和四年

八月になりますと、蝉の数は増え、朝の四時頃から鳴き始めます。

朝の太陽が水平線上に顔を出すのは四時三十分頃で、街の屋並みをゆっくりと太陽光が照らし始めます。私は、この太陽光に染まり金色に家々が波のように染まり広がってくる景色を見るのが好きです。

蝉は、まだ太陽光が届かない園の森から、すでに潮のように鳴き始めます。四時頃です。

私は次のように詠みました。

● 朝の光(ひ)のまだも届かぬ暗森に早起き蝉のミンミンの声　令和五年

出かける時は、公園前のバス停から乗車します。

椽の並木の間にバス停はあります。木影に入って立っていますと、黒い大きな影がいくつも寄ってきて、また木の枝に帰っていきます。

花柄のあざやかなブラウスや緑色のスカートをはいていると、余計に近々と寄ってきます。蝉は植物だと思って寄ってくるのかなと楽しくなります。木影に入って木を見上げますと葉の重なり合う緑は実に冴え冴えと明るいのです。

八月九日もバス停へ向かいました。すると、並木道に蝉が一匹、仰向けに転がっていました。動きません。体はずんぐりと大きく黒っぽく、翅は透明で細い翅脈があります。ミンミン蝉だなと思いました。

ミンミン蝉は産卵から七年間を費やして成虫になるといわれています。

「卵は枯枝、ときには生木の幹や果実に産みつけられ、年内又は翌春に孵化して地上に落下、地中に入って木の根から汁を吸って成長。幼虫期間は、日本ではアブラゼミとミンミンゼミが約七年を要することが確かめられている。

成虫の寿命は十日内外で、雄は短命である。」(百科事典マイペディア)

動かないので命を終えたのだなと思いました。

蝉に心はあるのでしょうか。

犬や猫や馬には心を映しているような表情や行動が見られます。鶏は人を見ると餌をもらえるかと寄ってきます。牛も魚も。一種の条件反射かもしれませんが、とにかく人に反応します。蝉の餌は樹液ですので、一般的に人が樹液を与えるということはあまりありません。

私のふるさとでは、盆のお墓参りに行くと、夕方、蜩がカナカナカナと鳴き透ります。高くて冴え冴えとした美しい声です。私の心に棲むふるさとの夏の声です。

今は無人となった実家に泊まることはなくなりましたので、夏の声に聞き入ることも遠くなりました。しかし、心から消えることはない声です。

●カナカナと満ちいるだろうかふるさとは遠く遥けく歩みきたりぬ　　令和五年

蝉にも天敵がいます。ネットで調べました。クモ、カマキリ、鳥類です。また、モンスズメバチは幼虫を育てるために、蝉の幼虫を主要な獲物としています。

また、蝉は昼行性ですので、ミンミンと大きな音を出しているので天敵に、「さあ、餌はこっちだよ！」と言っているようなものです。鳥にとっては絶好の餌です。オニヤンマも天敵。幼虫時代の天敵は、モグラやゴミムシ、ケラです。

地上に出た蝉の幼虫は全て成虫になれるわけではなく、脱皮の途中でアリや鳥に食べられることも多くあります。

地上の蝉が短命な理由として、親の蝉は体がもともと長生きするようにはつくられていないとのこと。親蝉の仕事は卵を産むことだけですから、その間生きていられればいいわけで、樹液を少し吸うだけです。

蝉の一生を調べてみると、心というやっかいなものが入り込む隙間はないのではないかと思いました。幼虫時代も、成虫になっても天敵を避け得たものだけが一生を全うするのです。厳しい自然の摂理だなと思いました。

人間は、生まれるとすぐに親に大切に守られて育てられます。成人すると、子を産むか否かを自由にチョイスできます。命を長らえさせる栄養食品やドリンクは世にあふれています。天敵はいません。病気になれば高度な医療を受けることができます。それを文明というのかもしれません。人間は脳を発達させ長寿を手に文明を進化させてきたのでしょう。

蝉には長寿の文明は育ってきていません。ひたすらに本能の声に従って生きるのです。ですから、よけいに声も姿もいとおしく感じられるのかもしれません。そして、それぞれの種がそれぞれに奇蹟のように生きている地球の姿を敬う思いがふくらんでくるのです。

それにしても、幼虫は地中で五回も脱皮を繰り返すと書いてあり、驚きました。簡単には成虫になれない長い道のりがあるのだなあと。天敵を避け得たものだけが地上へ出て行くのです。私は次のように詠みました。

●蟬の子は五回も脱皮するという地中(つちなか)の世の優しくあれよ　令和五年

それにしても、蟬はなぜ夏だけに生きるのでしょう。

ネットで調べました。

『夏の暑さは地上だけでなく、地面の下も同様で、地上の気温が一定以上になったら出てくるということを合図にしている。

一斉に出てくれれば、より、マッチングの可能性が高まる。二十五度以上になる日が一週間続いたら出るというルールなら、日本ではそんな時期は夏しかないので、夏の短い期間で大量のセミが地上に出てマッチングする。

冬に出てこないのは、蟬は変温動物で、気温が低いと動けなくなる。それに、冬は地面が凍結してしまっていることも出られなくなる理由かも。

セミは、視認性が低いのでけたたましく鳴く。

電灯などで夜が明るく気温が高いとまだ昼だと勘違いして夜に鳴くこともあるが、日本のセミは基本的に昼行性である。

羽化は夜に行われるが、失敗もある。その原因は、天敵に襲われる、木から落ちてしまう、体力が尽きてしまう。』

無事に成人し、一生を全うできるのは人間でも奇蹟であり、幸運な人だと思います。幸運に恵まれない人も多くいます。蝉も同じだなと思いました。

動物だけではありません。植物も枯れたり根腐れをおこしたり、動物に食べられたり、山火事や洪水などの自然災害の影響を受けることがあります。

生命体は、皆、奇蹟の時間を生きていると思う時、今、生命のあることに感謝して一心に生きることが大切だと思えるのです。

30「ぼっちキャンプ」を視聴して

ひざまずいていては　自由になれない
空のグラスを　高々とかかげて
どこへ行こうと　自分らしくいよう
自由でいるために

僕に構わないで　　　　道は見つけるから
迷いなく空をめぐる星のように
信じたルールで　　　　生きてみたい
ゆるぎなく

これは、ＢＳＴＢＳで放送されているソロキャンプの番組のテーマソング。

番組名は「ヒロシのぼっちキャンプ」。

キャストはお笑い芸人のヒロシただ一人。つまり、ソロキャンプに密着するテレビ番組です。

何度も放送されていますから、どうやら人気番組のようです。

ヒロシの表情を見ますと、目がキラキラしておらず、孤独が貼り付いているように細く白い。

ソロキャンプですから、会話ではなくて、呟きです。

私は、いくつか知りたいと思いました。
一、ヒロシって、どんな人物？
二、撮影は、誰がしている？
三、ソロキャンプの人気の秘密はなに？

一、ヒロシって、どんな人物?

一九七二年生れの五十一歳。本名は、齊藤健一。熊本県出身のO型。

父親が「健康第一」という願いで名付けたという。

小学生の時、ダウンタウンを見て、「お笑い芸人になったら、もてる」と驚いたとか。大学時代から本格的にお笑い芸人をめざし、三年間、福岡吉本に在籍して上京。しかし、目が出ず、ホストやホームレスも経験したといいます。彼は小学生の時からもてず、いじめられたり、先生にすら嫌われたりしたとか。

ホストとして苦労した経験を自虐ネタにした「ヒロシです」を持ちネタにして、二〇〇四年、ブレークを果たしたとのこと。

私は、彼が活躍したお笑いコンビ「ベイビーズ」は知りませんでしたので、想像もつきません。

絶頂期は、月収一〇〇〇万円~三〇〇〇万円が一年程続き、最高月収は四〇〇〇万円にも達したといいますから、芸人として成功したのでしょう。

ヒロシはお笑い芸人でありながら、実際は極度の上がり症で、しかも、人見知りだといいます。

次第に、芸能界やマスコミに疲弊していきます。

バラエティー番組の雛壇に出ても他の人の声が耳に入らず、何を話していいか分からないという状態が続いたそうです。

大ブレークから五年後に、

「もう、テレビには出ません。」

と宣言。それでも、常にマスコミの目に晒され、眠れず、次第に周りの人や友達にすら恐怖を覚えるようになり、「パニック障害」の診断を受けたといいます。

精神科医から

「趣味を見つけなさい。」

と勧められたとも。

彼は病気を受け入れ、「無理をしないで、自分のペースで生きていくすべを見つける方向へ」とシフトしたといいます。

一人で生きていく―群れない、媚びない、期待しない、絶望しないで生きる独り身社会の処方箋。

彼は、つながらずに生きるのは、こんなにラクで素晴らしいと話します。

私は、ヒロシの生き方はもしかしたら、現代社会の病んだ闇に光を見つけられるのかもしれないなと思いました。

キャンプは小学生の頃に両親に連れられて行ったのがきっかけとか。しかし、ブレークするまではお金がなくてキャンプは考えられなかったとか。芸人として自由にお金を使えるようになってから、また、キャンプを始めたといいます。

最初はグルキャン（グループキャンプ）だったそうですが、段取りや準備などで人と関わらなくてはならないことが次第に苦痛になり、「ひとりキャンプ」を決意したといいますから、長い苦悩の果てに辿りついた方法であり、納得できるスタイルなのだなと思いました。

最初は、動物の鳴き声や人の叫び声、木の葉のカサカサなど、音に脅えながらのキャンプだったそうです。

その頃に出会った「うしろシティの阿諏訪泰さん」と意気投合します。そして、「二人でキャンプするけど、それぞれソロキャンプを楽しむ」という気兼ねのないスタイルが始まったとのこと。

「キャンプしたい人と一緒にキャンプ場に行き、それぞれにキャンプする」ことから始め、夜になっての不安が無くなっていったと言います。

二、撮影は、誰がしている？
最初は、自撮りで、編集も自分でやったといいます。

今は、撮影するスタッフが同行しているとのこと。

スタッフの食事は、どうしているのでしょう。スタッフには撮影の仕事がありますのでキャンプ飯を作る余裕はないでしょうから、好きな弁当や食材をスーパーで購入しているのではないかと、ネットにはありました。
スタッフの宿泊はどうしているのでしょう。
一案、スタッフ用のテントを設営する
二案、車中泊。スタッフ用の車がもう一台ある
三案、キャンプ場内のバンガローなどに泊まる
場所によってはバンガローなどの施設のないところもありますから、可能性の高いのは、一案と二案。これもネットの情報です。

三、ソロキャンプの人気の秘密はなに?
視聴者が言っています。

「観ているとホッとする。」

「ヒロシの人間性に惹かれる。」

「癒される。」

「ヒロシはソロキャンプの火付け役。お金のかかり過ぎないコスパの長いキャンプ道具が分かる。」

「キャンプは男性だけでなく、女性からも大人気。触発されてキャンプを楽しむようになっ

た女性は多い。」

「あ、、今日はしんどいなとか、最近は理不尽なことが多いなと思う人ほどキャンプにはまる可能性が高い。」

ヒロシは、愛車のスズキジムニーで出掛けます。

束縛のない時間や空間の中で，素の自分と向き合うこと以外に何があるのでしょう。

ソロキャンプは単調と言えば単調です。キャンプの行程は決まっています。違うのはどこにテントを張るかと、何を食べるか位のもの。キャンプは地味で素朴。自然の中に身を置き、自然と一体感をもち呼吸し、食べ、考え、眠るという原始的とも言えるもの。

火打石で点火します。

薪は周辺から集めます。原始回帰性とも言えそうです。文明が進み、電波の乱れ飛ぶ人間世界とは隔絶した場所や時間に、なぜ人は惹きつけられるのでしょう。

そこで癒され、再生のエネルギーをもらい、生きる意欲へつなげて人間世界へ帰っていく。人生はこの繰返しかもしれません。挑み、傷つき、へたり、癒され、再生してまた立ち上がる。泥臭いですが、誰にも迷惑はかけません。キャンプでは全て自己責任です。素の自分との対話に絶対の価値を置く営み。孤独と言えば孤独ですが、それを〝自由〟と感じて〝喜び〟とするところに、ソロキャンプの意味があるのでしょう。

ヒロシの職業は、漫談師、俳優、ユーチューバー。趣味は、ベースギター演奏、釣り、キャンプ、旅行、家庭菜園、熱帯魚の飼育。

職業も趣味も多いということは、どれに心が満たされるのかと葛藤し、模索しているように思われてなりません。

もがきながらも前を向いて生きる一人の人間の姿が見えます。

テーマソングの歌詞が心に沁みます。

ひざまずいていては　自由になれない
どこへ行こうと　自分らしくいよう
信じたルールで　生きてみたい
ゆるぎなく

ヒロシの〝ぼっちキャンプ〟は、私や貴方の生きる姿かもしれません。ヒロシはどのように老いていくのでしょうか。前を向き、穏やかな歩みであってほしい。納得しながらの人生であってほしいと思うのです。

私は湧きくる思いを次のように詠みました。

● 私ではない貴方がいてあなたではないわれという生き方探す　令和五年

31 謎

私には、心に深い哀しみがあります。

相手のあることであり、互いの人格に関わる事であり、解決は難しいです。

息苦しいです。

短歌に詠むことでしか耐えられません。

● 人間がいちばん解けざる謎もつとかなしきめおとの歳月は散る

令和五年

32 朝日は昇る

宮城県歌人協会の重要メンバーとして県短歌界を牽引し、最前線で華々しく活躍してこられた多くの方々が第一線から退かれました。

その方々の所属する宮城における結社としての活動は解散と聞きました。本当でしょうか。

こんな日が来るとは、大きな衝撃を感じます。なぜなら、私は、その方々に秘かに親近感を持ち、短歌を学ぶ先達として静かに仰いできたからです。

実名を出すご無礼は重々お詫びしますが、私にはその方々に対して、惜しい人よ、忘れたくない人よという思いがあり、書き残したいという気持ちがこの一文を書かせるのです。


人の縁はありがたいものです。いただいた歌集が私のお手本となった岡本勝さん。彼は、県歌人協会の会長として十二年間もご尽力くださいました。令和三年に私が「県短歌賞」を受賞した時、賞状を授与して下さったのは彼でした。

県歌人協会主催の短歌大会において、常連の選者であった岡本弘子さん。静かな語り口で誠意を込めて歌評する姿には学ぶものが多くありました。

県短歌会でキレのある歌評が印象的だった斉藤梢さん。県芸術協会文芸部の活動を通して友人となった森冴美さん。森さんは穏やかに優しく姉のような存在でした。彼女は令和四年にひっそりと病死しました。県ホームページで知り合った奥寺正晴さん。

仙台矯正管区の文芸誌「みちのく」の短歌部門の扉を私に開いてくれた伊藤久子さん。彼女の短歌には深い芯のようなものがあり、それが私には魅力的に思えました。

どの方々も、私の遥か前をきららかに歩んでおられました。

第一線を退かれた理由は分かりません。分かりませんが風の噂で健康上の都合とか。健康上の理由であれば何も申し上げられません。生身の体です。若くはありません。やがては誰もが迎える決断点なのかもしれません。その方々に安寧な日々が長く続きますことを祈るばかりです。この先、何を通してこの方々の短歌に会えるのでしょうか。

感謝を込めて、改めてその方々の短歌を読み味わってみたいと思います。

○ダヴィンチもレンブラントも描けまい複雑怪奇な俺の肖像　岡本　勝

○冬ざれの庭に赤き実ともりゐて亡き子顕ちくる逢魔が時は　〃

○色づきて初めてわかる名も知らぬ樹々にも輝く季節（とき）のあること　岡本　弘子

○かけ声をかけて靴下履く夫の明るき背中を道標（みちしるべ）とす　〃

○核兵器一万五千個地球では貴方も私も幾度も死ぬのだ　奥寺　正晴

○ハタハタの海赤々と染まるらんイージスアショアの作動する日に　〃

（宮城県歌人協会70周年記念誌『あをばの杜』より）

○東京は故郷と呼ばず跨線橋に佇てば灼けたるレールの匂い　伊藤　久子

○乳の香のみどり児抱くにわが枯れし胸乳ほのかにいずみ湧きくる　〃

○大欅にそっと手を触れ仰ぎいる友逝きしより願いはこめず　森　冴美

○過ぎし日の一途さもいまは懐かしく都忘れの鉢をえらびぬ　〃

（『宮城県文芸年鑑』より）

こうして読んでみますと、一首一首にそれぞれの人生が見えるようです。しみじみと、切々と、ほのぼのとそこにある詠嘆。

しかも、情に押し流されずに自分自身を客観的に冷静に見つめる歌人としての心が伝わってきます。まさに、短歌は「自照の文学」と思う時、心から敬う思いが湧いてきます。

○ 二キロ先の空港がいま呑まれたと男がさけぶ　四時十一分　　斉藤　梢

○ 炎の上がる閖上よりの黒きにほひ嗅がねばならぬ息あるわれは　　〃

（二〇一一年刊行の『東日本大震災記念合同歌集』より）

私は、この短歌によって斉藤梢さんに注目するようになったのです。

朝市で有名だった閖上の港町に私は何度も行きました。それが、大津波により壊滅的な被害を受けたのです。一二〇〇名いた町民のうち八〇〇名近くが亡くなり閖上の町は消滅しました。近くには仙台空港があり、夫が十三年間勤務した県立宮城農業高校があったのです。

私と夫は、あの時、宮農校が心配で、車で見に行きました。

その時の光景とショックを忘れることは出来ません。私は次のように詠み、合同歌集に載せました。

●ここに町がありしは夢か見の限り瓦礫の原に海鳴りばかり　上林　節江
●通い慣れし道いくたびも迷いつつ瓦礫の山に校舎を探す　〃
●玄関も窓も壁さへ口を開け黒き骸(むくろ)はまこと校舎か　〃

私は、県芸術協会の『宮城県文芸年鑑』で斎藤さんの短歌を必ず読みます。

○目に見えぬ火の粉は恐し　マスクして祈る人みな海に俯く　斉藤　梢（二〇二〇年版）
○海底であれからずっと笑ってる家族の写真　津波十年　〃（二〇二一年版）
○「念のため津波に注意してください」あれから何回これから何回　〃（二〇二二年版）
○ひめくりの〈11〉をめくる三月よ　忘れてゐないことばかりある　〃（二〇二三年版）

斉藤さんは、震災の語り部のようにずうっと震災の歌を詠んでいます。斉藤さんは、閖上地区にあの日住んでいて被災したとも聞きました。生きている限り背負う痛みなのでしょう。

誰にも、いつかは第一線から静かに身を引く時が来ると思います。落日が赤々と去っていくように。

しかし、彼ら彼女らの体に心に短歌は染みついています。血であり肉である筈です。切っても切れないものの筈です。いつか、きっとまたどこかで懐かしい短歌に出会うと信じています。

それにしても、宮城での活動拠点としてのそれらの結社の解散は惜しまれてなりません。短歌会は、高齢者がほとんどです。若者は結社には所属せず、ネットで自由に緩く発信し合うのが好きなのでしょう。

後継者問題は、どこの結社でも差し迫った深刻な課題なのです。

地中海湾の会はほとんどが八十歳前後に集中していますが、七十代前半が三名います。湾の会の下部組織には若い人もいます。この人々は短歌に深い情熱を持ち努力しています。彼らが力を付けて背負っていってくれると信じて、私は私の出来ることに力を尽くしたいと思うのです。

夕陽が西に沈んでも、朝日となってまた東から昇って来ます、実に燦然と美しく堂々と。私は、そう信じているのです。

佐久間晟・すゑ子両先生が昭和四十八年三月に立ち上げて下さった地中海湾の会は、創立五十一年になりました。これからも長く続いてほしいと思うのです。短歌を通して人の縁が広がり人生を豊かなものに出来たら、生きることは苦悩ばかりではないと前を向くことが出来ましょう。私はそこに希望を見つめているのです。

33 来し方は悔いず

令和四年は二月に勃発したロシアによるウクライナ侵攻により、世界に激震と驚愕が走りました。

物不足や物価高に耐えても民主主義を守ろうとする国と、イデオロギーでは自動車を走らせることはできないとして民主主義経済から離れ実弾的実利国家へ鞍替えしていく国との対立が顕在化しました。

民主主義か強権主義か、地球全体の問題として人類に突き付けられています。

多くの難民が生まれ、戦火の絶えない国家間の対立。一つの国家のなかでさえも宗教上の対立があり同じ民族が殺し合っているニュースも絶えません。人類は病んでいるような恐怖におそわれます。

なぜ人間は、優しく穏やかに平和に生きられないのでしょうか。

限りある資源の分捕り合戦に汲汲として、先進国、後進国の格差が地球上に生まれています。

一人一人の思いや考え、生き方は違っても人間性や人権を尊び合い温かく生きることはできないのでしょうか。

ロシアと中国が台頭して世界制覇への黒光りの眼が地球を窺っています。

自給自足の時代が来るのでしょうか。ならば、私は土を耕し種を蒔きましょう。

政治家でも哲学者でも学者でも博士でもない私は、一人の人間として涼やかに生きていくだけです。

しかし、目は世界へ向けて人類の姿を追い続けたいと思います。


ジャーナリストのマリア・レッサの言葉が鋭く迫ります「沈黙は共犯」。会議の席上で、私は何度もこういう場面に遭遇してきました。

沈黙は共犯です。中立ではないのです。反対側にもなりません。堂々と意見を言う程の勇気がない時には、唯ひと言「賛成」「同感」「不同意」と言えばいいのです。声が出ないなら拍手でいいのです。それだけで自分の意思は発信できます。沈黙はいけませんね。

一九六二年にアメリカの生物学者レイチェル・カーソンが『沈黙の春』という衝撃の本を出しました。『沈黙の春』は、ＤＤＴをはじめとする殺虫剤や農薬などの化学物質の危険性を訴えた本です。

沈黙の春とは、鳥たちが鳴かなくなって生き物の出す物音の無い春という意味です。春は、草木も鳥も生き物全てが生命の輝きにあふれる季節です。それなのにその生命体の発する息吹のない春という訴えに身震いします。

日本では『生と死の妙薬―自然均衡の破壊者〈科学の薬品〉』として、青樹簗一氏により翻訳され、現在も文庫本が書店にあります。レイチェルは製薬会社を始めとする企業側から大攻撃を受けました。理論への攻撃だけではありません。個人的な攻撃も受けたのです。「結婚もしない独身女で子供もないのに、何をそんなに気にするのか。」と。

しかし、彼女は怯みませんでした。彼女の目は一個人や一国のみに向けられているのではなく、食物連鎖による生物濃縮の危険性を、データを示しながら客観的に訴え闘い続けたのです。

彼女は闘いの中で病気により死亡しましたが、彼女の訴えは「環境保護」といううねりを生み、人類に語り掛け続けています。

人間の幸せとは何でしょう。財産でしょうか、地位でしょうか、名誉でしょうか。それらは万人が得られるものではありません。お金や地位や名誉があっても孤独ということもありましょう。そして、人類単独の幸福はないのではないでしょうか。

あらゆる生命体の調和の上に幸福はあるように思われてなりません。

私は、小さな一人の人間として普通にごく平凡に生きてきました。幸いなことに、二人の子がいて孫がいて、彼らは私の見ることのない未来を生きていくことでしょう。願わくはその未来が、一人一人の人権が敬われ、生き甲斐を得て充実感をもって生きられる世であることを祈ります。そして、平凡ではあっても幸せに生きられる生涯であってほしいと。

平凡な人間、普通の人生といっても、平坦な道ではありません。苦悩や悲哀や後悔や不安や挫折などあらゆる感情と向き合いながら人は生きていきます。

強く、美しく生きてほしいのです。

物事は多角的です。苦しみの中にも喜びや安らぎを見つけることはできます。心の目を大らかに、めぐる季節を愛しましょう。

私の人生は、不幸ではありません。それは、私に「表現」という敬うものがあるからです。追い求めて尽きることのない表現という美しいものに力を尽くして挑み、生きているという実感を日々味わっていることにより、私はそう確信しているのです。

その思いが次の一首になりました。

●来し方は悔いず行く末煩わずただ詠嘆のあこがれ一つ　　令和五年

34 これからは身をゆっくりと思うとき遠く来たる道ふかき意味もつ

一時間で歩いた道が、一時間半かかるようになりました。しかし、がっかりはしません。わき目もふらずに歩いてきましたが、これからは、立ち止まり、腰を掛け風の匂いをかぎ、鳥の翼を眺めましょう。

少しずつ五体や五感の機能は錆びついてきましたが、私も人並みに老境まで生きることができたということなので嬉しくも思います。

今の生活は時間に追われることはありません。自分流の暮らし方で誰からも咎められることもありません。

自由な時間の流れの中で、私は息を吸い、書き、詠みます。若さは失いましたが、若さゆえに傷つけてしまった人々に深く首を垂れます。若さゆえに傷ついてきた自分を否定することなく前を向いていきましょう。

若き日には苦さもありますが、そこをくぐり抜けて今があると思うことにしています。

波瀾のない人生を水晶のように美しく生きている人は多いのでしょう。波瀾万丈に傷つきながらも人間性を失うまいと生きている人もまた多いのではないでしょうか。

私も、私の周囲の人々も、ありがたいことに反社会的、非社会的な行為に陥ることなく生きています。

年齢と共に過去の事柄を思い出すことが多くなります。時間はたっぷりありますが、未来は描けないので過去がフラッシュバックするのでしょう。物故者が増え、孤独感がつのり、人恋しさに苦しみます。

懐かしさから、大学の同窓会に出席しました。若い人が多く戸惑いが生まれます。私と同じような年齢の人は、皺が寄り風貌がすっかり変わり誰か分かりません。そういえば、大学時代に同県の人々と親しく交わった人はあまりいなかったなと思います。国文科は私一人でした。しかし、同じ大学出身というだけで大学のある風景が言葉の端端に浮かび、なんとも心地よいのです。

社会的に成功した地位を得ている人が挨拶を始めました。

すると、ひそひそ声が聞こえてきました。

「あいつは、今、人前で偉そうなことを言っているが、大学の時、女と同棲していたんだぞ。」

懐かしさで出席した会場が、急にモノクロームのように陰りました。腰が曲がり入れ歯になっても妬み心は衰えないのでしょうか。同窓会は懐かしさばかりではないなと思いました。私にとってしみじみと旧交をあたためる場にはなっていないなと。以来、出席はしていません。

小中学校時代の同級会とて同じようなことはあるのです。

こちらは懐かしいと思って声を掛けてもしらっとした目を向けられたりしますからね。あげ句の果てに、あんたに苛められたなどと言われたりして、思いが空回りします。

しかし、小中学校の同級生はふるさとの幼馴染なので、やはり懐かしさは大きいです。しかし、高齢化により同級会もなくなりました。老齢になると行く場所が減っていくなと思います。しかし、行き場を失ったのではないなとも思います。誰かが言いました。「一つ苦悩の殻を脱いだだけだ。」と。

歳月が浄化してくれるとも思います。全てのものが浄化されるものではありませんが、自分はその時々を一生懸命に生きていたのだと思えるようになりました。そして、遠く歩いてきた歳月をいとおしいと思うようになりました。病気や事故で若くして無念の死に遭う人も多いのですから。

速さや距離の長さでは付いていけない身体になりましたが、深さでこれからの日々を重ねていくことができたら素敵だなと思います。そのような思いが冒頭の一首となりました。歌友の一人が言いました。

「人殺しのドラマは、もう見ない。」

私も同じだなと思いました。破壊シーンは体がもう受けつけないのです。消化する力がもう無いのです。これからは美しいものだけを眺めていこうよと、私は心の中で話しかけていました。その思いが、冒頭の短歌になりました。

ありがたいことに、短歌への情熱は高齢になって燃え盛るようになりました。私は胸の中で美しく鳴る小鈴の音に耳を傾けながら、日々を次のように思って暮らしているのです。

●もう少しあの高みまでチリチリと身にささげ持つ小鈴が揺れる　令和五年

あとがき

短歌は、フォーマル・ウェアと思います。精神を研ぎ澄まし練り上げていく一級品。

エッセイはカジュアル・ウェア。心に湧きくるままに穏やかにペンを進める慰め。

私にはこの五年間、どちらの衣服も必要でした。

令和元年に私の生活環境が大きく変化した時、五つのことを為すまでは死ねないと思いました。

五つのことを為せば、世界が変わって見えるかなとも思いました。

五つのこととは、歌集を二冊とエッセイを三冊作ることです。

悲しい歌集が一冊と、寂しい歌集が一冊生まれました。

エッセイは、短歌への「あこがれ」、「苦悩」、「尊厳」というテーマで三部作と明確に考えていました。令和四年に『忍冬Ⅰ短歌にときめきながら』、令和五年に『忍冬Ⅱ短歌にくるしみながら』、そして今、『忍冬Ⅲ短歌をうやまいながら』のあとがきを書いています。

この五冊を振り返りますと、五年の歳月がいかに精神の闘いであったかが分かります。

五つのことが終わるなと思いましたら、令和三年以降に詠んだ短歌が私の足に絡まり、ピィピィ泣くのです。

「私をも活字にしてよ。」

そうか、五つのことだと思っていたけど、六つのことだったのかと思いました。

六つ目が終わったら、何か七つ目がピィピィ泣くのでしょうか。こうして私の日常は続いていくのでしょうか。

五つを為したら別世界が見えるかと思ったものでしたが、特別な別世界はありません。

ただ、ぐじょぐじょに慟哭しなくなったなと思います。これこそが別天地なのかもしれません。それでいいと思います。

私の傍らには、子がいて、孫がいて、姉弟がいて、その縁につながる人々がいて、短歌の仲間がいます。その人々へ私の心は感謝に溢れます。

人間には体力的にも気力的にもピークの時があると感じます。そしてそのピークは、決して長い時間ではないとも思います。

今、私は心に湧きくる表現という美しいものの声に従い穏やかな時間のなかに呼吸をしています。学びいくことはたくさんあって、わくわくします。

私は上林節江を生きるねと、心に住む母に語り掛けています。そして、全ての人が穏やかに自分の一生を全うしてほしいと祈るのです。

振り返りますと、令和になってからの歌集やエッセイの計四作に、実弟及川茂夫の協力がありました。

パソコンを持たない私の手となり目となって手書きの原稿をパソコンにおろしてくれたのです。この支えは、私にとって大きな励ましでありました。

『忍冬』三部作の作成を通し、飯塚書店の社主飯塚行男氏には懇切なご指導をいただきました。心から感謝を申し上げます。今後一層のご鞭撻をお願い申し上げます。

二〇二四年五月二十日

上林　節江

上林　節江（かんばやし せつえ）

昭和21（一九四六）年　宮城県栗原市生まれ。
59歳より本格的に短歌を作り始める。
平成18年　地中海に入会。
佐久間晟、塔原武夫に師事する。
歌集に『絆』『記憶の遺産』『花と濡れつつ』他、
著書に『忍冬―短歌にときめきながら』『忍冬Ⅱ
―短歌にくるしみながら』がある。
令和3（二〇二一）年に「宮城県短歌賞」を受ける。
日本歌人クラブ会員「地中海」会員
宮城県芸術協会文芸部運営委員

『忍冬(すいかずら) Ⅲ―短歌をうやまいながら』

令和六年七月二十日　初版第一刷発行

著　者　上林 節江

発行者　飯塚 行男

発行所　株式会社 飯塚書店
〒一一二‐〇〇〇二
東京都文京区小石川五‐十六‐四
☎ 〇三（三八一五）三八〇五
FAX 〇三（三八一五）三八一〇
印刷・製本　日本ハイコム株式会社

© Kanbayashi Setsue 2024　Printed in Japan
ISBN978-4-7522-8018-7